DÉTECTIVES

Martin Bec

La cour silencieuse

Scénario
Herik Hanna

Dessin
Thomas Labourot

Couleur
Lou

DELCOURT

Merci à D.C., Thomas, Simon, Laure, François et toutes les personnes ayant participé à cet album au sein des Éditions Delcourt.
Merci à Carine pour ses suggestions et premières corrections (et toutes celles des précédents tomes où nous avons travaillé ensemble... de loin :)

Merci à Martin Bec... d'avoir longtemps enfumé mon esprit.
Pour Georges Simenon... merci d'avoir inspiré ces nuits de travail.
Pour Annick... les rêves sont une réalité.

Herik Hanna

Un très grand merci à David et Herik de m'avoir proposé cette formidable aventure, de m'avoir fait découvrir un nouveau chemin dans mon travail et fait confiance...
Un énorme bravo à Simon pour son travail...

Thomas Labourot

Dans la même série :
Tome 1 : *Miss Crumble*
Tome 2 : *Richard Monroe*
Tome 3 : *Ernest Patisson*
Tome 4 : *Martin Bec*

Du même scénariste, chez le même éditeur :
- *Bad Ass* (trois volumes) - dessin de Bessadi
- *Blind Dog Rhapsody* (deux volumes) - dessin de Redec
- *Le Casse - L'Héritage du Kaiser* - dessin de Hairsine
- *La Grande Évasion - Void 01* - dessin de Phillips
- *Sept Détectives* - dessin de Canete

Aux Éditions Dargaud :
- *WW2.2* (tome 4) - dessin de Rosanas

Du même dessinateur, chez le même éditeur :
- *Garance* - scénario de Gauthier
- *Mon arbre* - scénario de Gauthier
- *Troll* (tomes 4 à 6) - scénario de Morvan
- *Les Chroniques de Sillage* (tome 2) - scénario de Morvan, collectif
- *Le Grimoire du petit peuple* (tome 1) - scénario de Dubois, collectif

Aux Éditions Dargaud :
- *Washita* (cinq volumes) - scénario de Gauthier

Aux Éditions Jungle :
- *Bohemian Galion* (deux volumes) - scénario de L'Hermenier

Aux Éditions Soleil :
- *Les Geeks* (dix volumes) - scénario du collectif Gang
- *Noodles !* (deux volumes) - scénario de Gauthier
- *Team Galaxy* (deux volumes) - scénario de Gauthier

Basé sur des personnages créés par Herik Hanna et Eric Canete

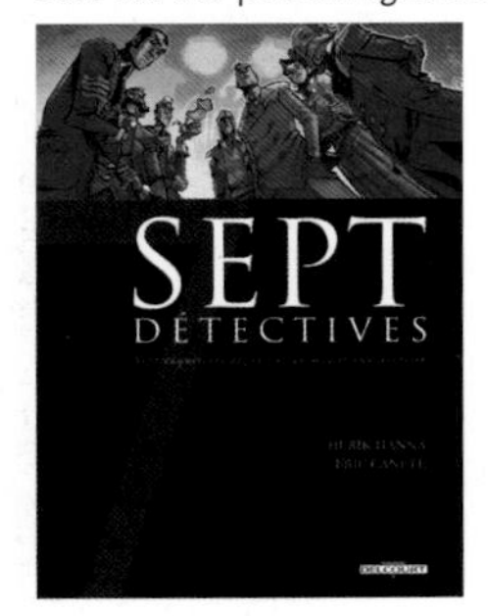

Ouvrage dirigé par David Chauvel

Dépôt légal : septembre 2015. ISBN : 978-2-7560-6239-6
Première édition

Conception graphique : Trait pour Trait

Achevé d'imprimer en Belgique en août 2015

www.editions-delcourt.fr

Paris, octobre 1932.

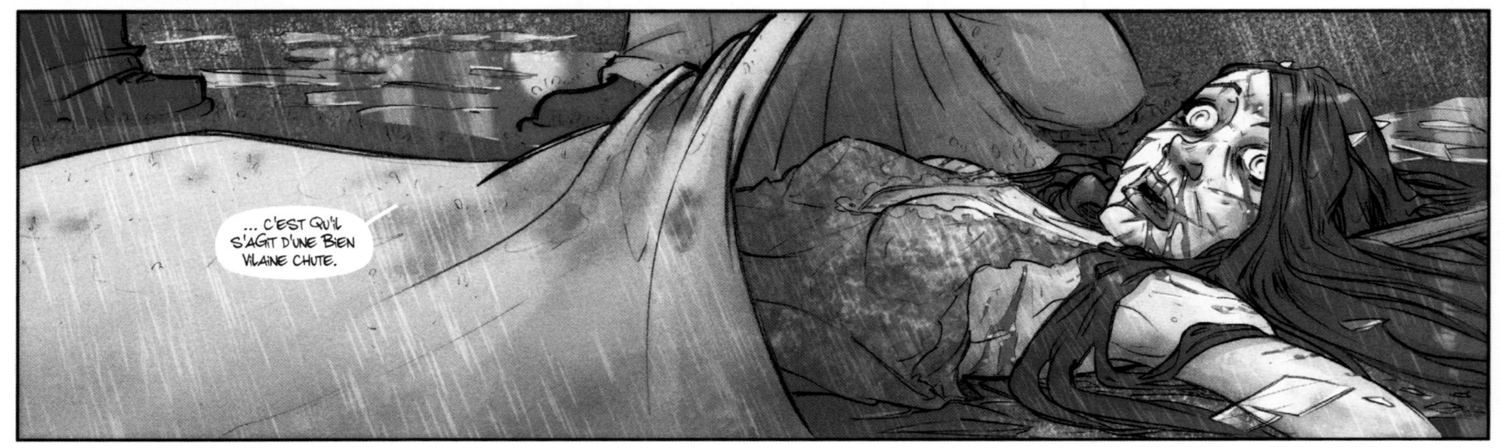

...

UNE CHOSE EST SÛRE... ELLE ÉTAIT VIVANTE AU MOMENT DU SAUT. ELLE A EU LE RÉFLEXE DE TENDRE SES BRAS ET SES JAMBES POUR AMORTIR LE CHOC...
C'EST POUR ÇA QUE CEUX-CI SEMBLENT... PLIÉS DANS LE SENS INVERSE DE L'ARTICULATION.

EN REVANCHE... CE MORCEAU DE VERRE DANS SA GORGE... QU'IL S'Y SOIT LOGÉ AU MOMENT OÙ ELLE A TRAVERSÉ LA FENÊTRE OU AU MOMENT DU CHOC SUR LE SOL...
... ÇA NE LUI LAISSAIT AUCUN ESPOIR. EN D'AUTRES TERMES...

... ELLE ÉTAIT MORTE AVANT D'AVOIR TOUCHÉ LE SOL.

CADET EST ARRIVÉ ?
IL EST DANS L'APPARTEMENT DE LA VICTIME, COMMISSAIRE. JE DOIS LE PRÉVENIR DE VOTRE...
PAS LA PEINE. JE MONTE.

VOUS AVEZ INTERROGÉ LES VOISINS ?
NOUS VENONS DE TERMINER AVEC LE DERNIER ÉTAGE.
JE SUPPOSE QUE NOUS AVONS PLUSIEURS TÉMOINS.

EH BIEN, À VRAI DIRE... NON, COMMISSAIRE.
NON ?
EUH... NON. AUCUN D'EUX N'A VU... NI ENTENDU QUOI QUE CE SOIT.

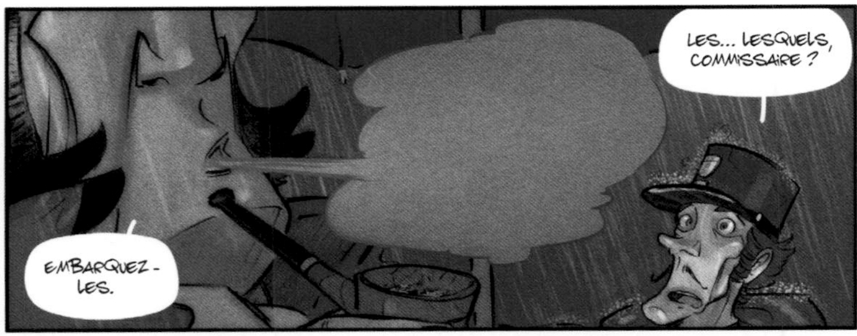
EMBARQUEZ-LES.
LES... LESQUELS, COMMISSAIRE ?

TOUS, GUICHARD. TOUS.
TOUS ? LE CONCIERGE AUSSI ?
AUSSI.

IL VA FALLOIR... QUE J'APPELLE UN AUTRE PANIER...

C'EST TRISTE. UNE SI BELLE FEMME...
IL S'EMMERDAIT PAS, LE PÈRE CLERC.
OH, VU CE QUE J'AI ENTENDU... C'EST PAS SON GENRE.

COMMISSAIRE.
COMMISSAIRE.

VOUS AVEZ FINI ICI ?
EH BIEN... NOUS ASSISTONS L'INSPECTEUR CADET. AU CAS OÙ...
DANS LE CAS PRÉSENT... VOUS N'AVEZ PAS L'AIR DE FAIRE GRAND-CHOSE. ALLEZ PLUTÔT FILER UN COUP DE MAIN À GUICHARD ET AUX AUTRES...

CADET ?
JE SUIS LÀ !!

PAS DE DOUTE. C'EST LA SCÈNE DU CRIME, PATRON.
TA PERSPICACITÉ ME LAISSE SANS VOIX.

VOUS DEVEZ DÉJÀ LE SAVOIR. C'EST... LA FEMME D'UN COLLÈGUE. JEAN-BAPTISTE CLERC... DES MOEURS.
IL EST EN ROUTE.
J'ESPÈRE POUR LUI QU'ELLE SERA PLUS DANS LA COUR. C'EST PAS LE GENRE DE SPECTACLE...
QU'EST-CE QUE TU AS TROUVÉ ICI ?

UNE SCÈNE DE LUTTE À PREMIÈRE VUE. OU C'EST CE QU'ON CHERCHE À NOUS FAIRE CROIRE...

C'EST PROBABLEMENT ELLE QUI A JETÉ CE VASE POUR SE DÉFENDRE... IL Y A UNE MARQUE SUR LE MUR ET PAS DE SANG DESSUS. ELLE A DÛ LE LOUPER.

L'ALTERCATION COMMENCE APPAREMMENT DANS L'ENTRÉE...
L'AGRESSEUR RENVERSE LE PETIT GUÉRIDON. NATHALIE CLERC SE RÉFUGIE DANS LE SALON...

IL L'ATTRAPE UNE PREMIÈRE FOIS ET L'ENVOIE VALSER SUR CE FAUTEUIL. IL LA RELÈVE ET ENSUITE...

...

QU'EST-CE QU'ON SAIT DU MARI ?

IL A UN ALIBI. IL ÉTAIT EN PLANQUE AVEC SON COLLÈGUE RUE VICTOR-MASSÉ...
JE LE SAIS DÉJÀ. CE N'EST PAS POUR SAVOIR CE QU'IL FAISAIT, LUI... MAIS OÙ ILS EN ÉTAIENT TOUS LES DEUX. DANS LEUR VIE DE COUPLE... LEUR QUOTIDIEN...

ON LE DIT COUREUR, CHEF. UN SACRÉ COUREUR. ET LA MONDAINE, POUR UN CAVALEUR... ENFIN, VOUS VOYEZ.
MADAME DEVAIT PAS TRÈS BIEN LE PRENDRE. C'EST PAS FORCÉMENT LE GENRE DE TRUCS QUE LES ÉPOUSES PRENNENT BIEN... EN GÉNÉRAL...

...

OU ALORS... ELLE A SAUTÉ.
LES DÉFENESTRÉS OUVRENT LA FENÊTRE AVANT DE SAUTER.

FRAGILE PSYCHOLOGIQUEMENT... TROMPÉE, FOLLE DE RAGE... PEUT-ÊTRE IVRE... ELLE DÉTRUIT SON MOBILIER... ET SE JETTE CONTRE SA FENÊTRE. LES VIEUX GONDS CÈDENT...
JE DIS JUSTE QU'EN GÉNÉRAL... ILS OUVRENT LA FENÊTRE.
HERBERT LE FOU N'A PAS OUVERT LA FENÊTRE.
HERBERT LE FOU ÉTAIT FOU.

MA FEMME... N'ÉTAIT... PAS FOLLE.

ASSEYEZ-VOUS...
JE CROIS... JE CROIS QUE J'AI BESOIN D'UN VERRE...
DANS LA CUISINE... VENEZ...

TAC! TAC!
TAC! TAC!
SUZ

JE SUIS LE COMMISSAIRE BEC... J'AI ÉTÉ CHARGÉ DE L'ENQUÊTE SUR...
OH, JE SAIS QUI VOUS ÊTES, COMMISSAIRE. JE SUIS... SOULAGÉ DE SAVOIR QUE VOUS METTREZ CETTE ORDURE AU TROU. JE SAIS QUE VOUS... VOUS VENGEREZ MA FEMME...
CETTE ORDURE ?
CE MOINS-QUE-RIEN...

VOUS SAVEZ QUI A TUÉ VOTRE FEMME ?

JE SUIS SÛR QUE C'EST LUI... ÇA NE PEUT ÊTRE QUE LUI. IL LA REGARDAIT PASSER TOUS LES JOURS... AVEC CET AIR MAUVAIS. CE SALOPARD DE GUERRY... J'AURAIS DÛ LE CHASSER D'ICI BIEN AVANT...
GUERRY... IL HABITE ICI ? NOUS NE L'AVONS PAS INTERROGÉ...

IL A ÉLU DOMICILE DANS LA COUR !! UN FOUTU CLOCHARD !! UNE JAMBE FOLLE...
ET VOUS DITES QU'IL... COURTISAIT VOTRE ÉPOUSE ?

"COURTISAIT", C'EST PAS LE MOT. IL LUI FAISAIT DU GRINGUE DEPUIS DES LUSTRES. UNE FOIS, JE L'AI RETROUVÉ ICI... SUR MON PALIER. IL L'AIDAIT SOI-DISANT À MONTER NOS COURSES. SI J'ÉTAIS PAS RENTRÉ PLUS TÔT...
POURQUOI ÊTES-VOUS SI SÛR QU'IL S'AGIT DE...

PEU IMPORTE... QU'IL NEIGE, QU'IL VENTE OU QU'IL PISSE DES GRÊLONS... IL EST TOUJOURS DANS LA COUR. ET CE SOIR...
... IL N'EST PAS LÀ.

AVRIL !!
J'AI ENTENDU, PATRON. JE VAIS LANCER DES RECHERCHES...
VOTRE FEMME PORTAIT-ELLE TOUJOURS SON ALLIANCE ?

C'ÉTAIT... MA FEMME. NOUS N'ÉTIONS PAS SÉPARÉS... ET NOUS N'EN AVIONS PAS L'INTENTION. APRÈS QUINZE ANS DE MARIAGE, NOUS ÉTIONS TOUJOURS... FOUS AMOUREUX.
JE VOULAIS DIRE... EN PERMANENCE.
OUI, BIEN SÛR... COMME MOI. COMME LA PLUPART DES GENS.

ELLE NE L'AVAIT PLUS LORS DE LA DÉCOUVERTE DU CORPS.

ATTENDEZ, ATTENDEZ... MAINTENANT QUE J'Y PEN...
LES BIJOUX...

C'EST VIDE...

LE SALAUD. IL L'A VOLÉE... AVANT DE LA TUER.

S'il a quelque chose à voir avec la mort de sa femme... il a préparé tout ce qu'il pourrait nous dire ce soir. Je préfère le revoir à l'improviste... sans qu'il s'y attende. Chez sa sœur ou avec son équipier...

LA NUIT... ON DORT, COMMISSAIRE. DU MATIN AU SOIR... MA FEMME ET MOI... ON SE DÉMÈNE POUR TENIR CET IMMEUBLE. ET IL A BEAU ÊTRE HABITÉ QU'À MOITIÉ, BOURRÉ DE FUITES ET DE TROUS... ÇA NE CHANGE RIEN À LA TAILLE DES MURS. AU QUATRIÈME, DE CHEZ MOI... J'ENTENDS RIEN DU TOUT. ILS PEUVENT BIEN FAIRE UNE JAVA DE TOUS LES DIABLES...

BAH, C'EST-À-DIRE QUE... DU MATIN AU SOIR, MON MARI ET MOI, ON SE DÉCARCASSE POUR...
ÇA VA, ÇA VA. GUERRY... DEPUIS QUAND VIVAIT-IL DANS LA COUR ?
OH, ÇA VA BIEN FAIRE DEUX ANS. IL A JAMAIS ÉTÉ MÉCHANT, VOUS SAVEZ. IL N'ENNUYAIT PERSONNE. IL EST PEUT-ÊTRE UN PEU FLATTEUR AVEC LES JOLIES DAMES DE L'IMMEUBLE MAIS IL N'AVAIT JAMAIS CAUSÉ D'ENNUIS... AVANT CE SOIR.

DU REZ-DE-CHAUSSÉE, ON N'ENTEND RIEN LÀ-HAUT, COMMISSAIRE. C'EST UN IMMEUBLE ANCIEN. VU LA TAILLE DES MURS...
LA TAILLE DES MURS, ÉVIDEMMENT. J'AI APERÇU UN BOUQUET DE ROSES ROUGES DANS L'APPARTEMENT DES CLERC... ELLES VIENNENT DE VOTRE BOUTIQUE ?
OH, OUI... M. CLERC LES A OFFERTES À SA FEMME CE MATIN... ENFIN HIER MATIN. IL NE MANQUAIT JAMAIS D'ATTENTIONS POUR ELLE. JE NE LA CONNAISSAIS PAS PERSONNELLEMENT MAIS... LA PAUVRE... FINIR AINSI...

UNE RÉCEPTION DANS DEUX JOURS. 350 KILOS DE CÔTELETTES À DÉBITER... VOUS SAVEZ CE QUE C'EST ? VOUS AVEZ DÉJÀ DÉBITÉ 350 KILOS DE CÔTELETTES, COMMISSAIRE ?
QUEL... EST... LE... RAPPORT ?
JE DORS DEBOUT. COMME JE LE FAISAIS HIER SOIR ALLONGÉ DANS MON PADDOCK. ET RIEN... À PART LA... CHARGE LÉGÈRE... DE VOS COLLÈGUES N'AURAIT PU ME TIRER DE LÀ.

VOUS SAVEZ CE QUE C'EST, 80 LAPINS À DÉPIAUTER ? VOUS AVEZ DÉJÀ DÉPIAUTÉ 80 LAPINS, COMMISSAIRE ?

JE JOUE ET COMPOSE DE 7 H DU MATIN À 9 H DU SOIR, COMMISSAIRE. LA MUSIQUE EST TOUT POUR MOI. EN REVANCHE, LE BRUIT...
J'AI HORREUR DU BRUIT. JE DORS AVEC DU COTON DANS LES OREILLES DEPUIS L'ÂGE DE 13 ANS. ALORS, LA VIE NOCTURNE DU VOISINAGE... VOUS VOUS DOUTEZ BIEN...
BAH, TIENS... JE ME DOUTE.

J'ai répété toute la journée au conservatoire. Je voulais revoir quelques pas... M. Dartini a été assez gentil pour rejouer le premier acte sur son piano. Je suis rentrée...
J'ai enlevé mes chaussons... et telle que vous me voyez, je me suis effondrée.

C'est que je n'ai pas bien compris, jeune homme...
Non, je vous disais... je suis le commissaire Be...
Les sanitaires sont à l'étage sur le palier. C'est un très vieil immeuble. Autant vous prévenir... faut pas être pressé. Et à mon âge...
...

Excusez mon mari... il est sourd comme un pot de chambre. Il n'a pas dû vous être très utile...
L'essentiel, c'est que vous... vous entendiez bien... vous allez pouvoir...
Oh, oui... on s'entend bien. Mais après 36 ans de mariage, vous savez... on n'a plus grand-chose à se dire.
...

Je suis le seul foutu ouvrier dans cet immeuble, commissaire. Le propriétaire ne veut pas mettre un radis de plus dans ce gruyère. C'est pour ça que je suis le seul à vivre au troisième. Tout le reste de l'étage, c'est les gorges du Verdon...
Et donc, harassé par une nouvelle journée de travail au milieu des flots... vous dormiez profondément, du sommeil du juste, au moment des faits.
Exactement.

Je suis mère célibataire, commissaire... avec 24 enfants sur les bras.
24 enfants ?
Je suis institutrice. Les enfants sont... sont très dissipés en ce moment. J'étais hier soir épuisée. Je me suis couchée de bonne heure... et malheureusement, je n'ai rien entendu.
Malheureusement...

J'aime pas le gras.
...

...

MERCI DE L'AVOIR GARDÉ AVEC VOUS... LE TEMPS QUE JE TERMINE MA DÉPOSITION.
IL AVAIT UNE PETITE FAIM... IL A PARTAGÉ MON MENU HABITUEL.
SANS LA BIÈRE, J'ESPÈRE.
SANS LA BIÈRE.

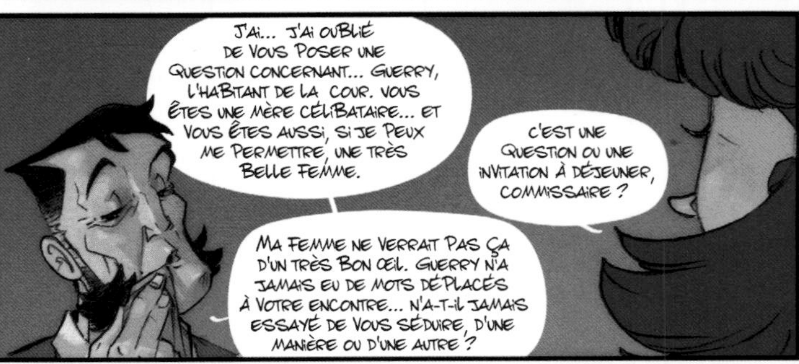
J'AI... J'AI OUBLIÉ DE VOUS POSER UNE QUESTION CONCERNANT... GUERRY, L'HABITANT DE LA COUR. VOUS ÊTES UNE MÈRE CÉLIBATAIRE... ET VOUS ÊTES AUSSI, SI JE PEUX ME PERMETTRE, UNE TRÈS BELLE FEMME.
C'EST UNE QUESTION OU UNE INVITATION À DÉJEUNER, COMMISSAIRE ?
MA FEMME NE VERRAIT PAS ÇA D'UN TRÈS BON OEIL. GUERRY N'A JAMAIS EU DE MOTS DÉPLACÉS À VOTRE ENCONTRE... N'A-T-IL JAMAIS ESSAYÉ DE VOUS SÉDUIRE, D'UNE MANIÈRE OU D'UNE AUTRE ?

NON, IL ÉTAIT... GENTIL. FLATTEUR SANS DOUTE... MAIS JAMAIS... MENAÇANT.
JE VOIS. MERCI... CE SERA TOUT, MADEMOISELLE.

TENEZ... IL PEUT LE GARDER. MAINTENANT QU'IL A COMMENCÉ... JE SUIS CERTAIN QU'IL VOUDRA CONNAÎTRE LA FIN.
OH, MERCI... VOUS ÊTES SÛR QUE...

Une enquête de Nath
Le Petit Chaperon Jaune
JE CONNAIS LA FIN.

ÇA A... OUAAAH... DONNÉ QUELQUE CHOSE DE VOTRE CÔTÉ ?
UNE ÉPIDÉMIE DE SOMMEIL ABYSSAL... OU UNE RÉSERVE NATURELLE D'ARRACHEURS DE DENTS. J'HÉSITE ENCORE. SANS PARLER DE LA TAILLE DES MURS.

LA TAILLE DES...
JE ME COMPRENDS.
À PROPOS DE SOMMEIL... J'Y VAIS. À DEMAIN, PATRON.
C'EST ÇA... À DEMAIN, CADET.

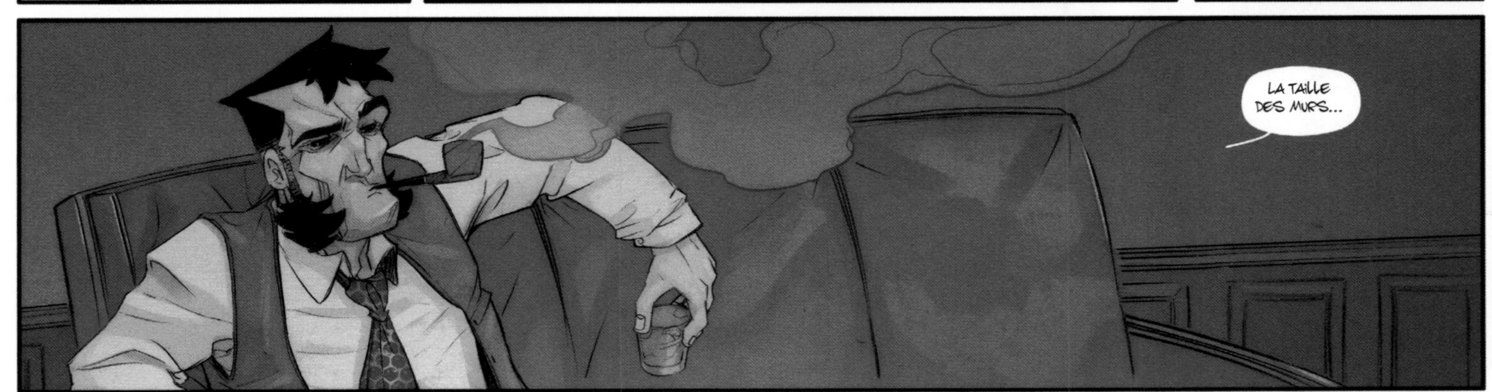
LA TAILLE DES MURS...

ENCORE LÀ COMMISSAIRE ?
C'EST UNE ENQUÊTE DE POLICE, MADAME FERNAND. PAS UNE VISITE DE COURTOISIE.
OH, ÇA... J'AVAIS REMARQUÉ. QUESTION... COURTOISIE... VOUS POUVEZ REPASSER. DU MOMENT QUE VOUS NE ME TRAINEZ PLUS DANS VOTRE BUREAU AU MILIEU DE LA NUIT...

NOUS VERRONS ÇA.
...

BONJOUR, PATRON.
SALUT, HENRI... PAS DE SOUCIS ?
CLERC EST PASSÉ DE BONNE HEURE CE MATIN. IL DISAIT AVOIR OUBLIÉ DES AFFAIRES HIER SOIR. J'AI FAIT COMME VOUS M'AVIEZ DIT. COLLÈGUE OU NON... PAS DE PASSE-DROIT. JE L'AI LAISSÉ À LA PORTE.
IL A FAIT DES HISTOIRES ?

OH, NON... IL A DIT QUE C'ÉTAIT PAS TRÈS GRAVE ET QU'IL VOUS DEMANDERAIT L'AUTORISATION.
BIEN...

UN SERRURIER DOIT PASSER NOUS OUVRIR LA CAVE. SI VOUS LE VOYEZ...
JE VOUS FAIS SIGNE, PATRON.

HMM...

HENRI... VOUS AVEZ FINI AVEC CE JOURNAL ?
EUH... C'EST QUE... JE VIENS À PEINE DE L'OUVRIR...
VOUS AIMEZ LE SPORT ?
AH... J'ADORE LE SPORT. SURTOUT QUE PARIS VIENT DE...
BON, ALORS... DONNEZ-MOI LES PAGES CULTURELLES.

BAH... C'EST QU'IL Y A PEUT-ÊTRE QUELQUE CHOSE D'INTÉRESSANT, VOUS COMPRENEZ... MA FEMME...
VOUS ALLEZ AU CINÉMA AVEC VOTRE ÉPOUSE ? AU THÉÂTRE ? À DES CONCERTOS ? AU MUSÉE ?
NON... COMMISSAIRE. ON N'AIME PAS TROP SORTIR PARCE QUE... AVEC SA PHLÉBITE, MA FEMME...

DONNEZ-MOI LES PAGES CULTURELLES.

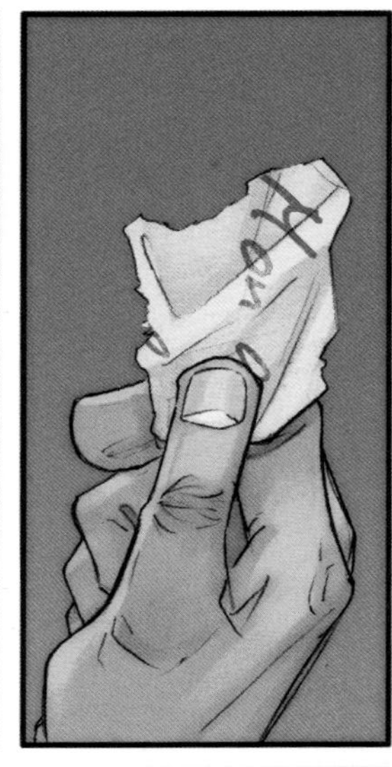

AH, PATRON... JE VOUS CHERCHAIS. J'AI UNE BONNE NOUVELLE POUR VOUS. QU'EST-CE... QUE VOUS... FAITES ?
JE PÊCHE, CADET. JE PÊCHE. VA ME CHERCHER UNE ENVELOPPE SUR LE SECRÉTAIRE DE LA CHAMBRE, TU VEUX...

VOUS AVIEZ VU JUSTE... GUERRY N'A PAS MIS LONGTEMPS À ESSAYER DE FOURGUER LES BIJOUX. IL ATTENDAIT DEVANT LA BOUTIQUE DU VIEUX BRICE À LA PREMIÈRE HEURE.
"BRICE LES DOIGTS DE FÉE" ?
CELUI-LÀ MÊME.

JE LE CROYAIS RANGÉ.
EH BIEN, CROYEZ-LE OU NON... C'EST BIEN VRAI. BRICE A SENTI LE MAUVAIS COUP. IL A REFUSÉ DE PAYER POUR LE TRÉSOR DE LA PATTE FOLLE. IL L'A MÊME FOUTU À LA PORTE.

ON EST CERTAINS QUE C'ÉTAIT BIEN GUERRY ?
POUR SÛR. BRICE LE CONNAISSAIT. ILS SONT DE LA MÊME ÉPOQUE, LUI ET GUERRY. ILS ONT FAIT DE LA CABANE ENSEMBLE. IL LE CONNAISSAIT SOUS SON NOM D'ARTISTE... PIERROT LA GUIBOLLE...

PIERRE GUERRY EST... PIERROT LA GUIBOLLE ?

ÇA VOUS DIT QUELQUE CHOSE ?
UN PEU QUE ÇA ME DIT QUELQUE CHOSE... ÇA NE ME RAJEUNIT PAS MAIS... ÇA ÉVOQUE DES SOUVENIRS.
AH... VOUS POURREZ RECOUPER CE QUE VOUS SAVEZ AVEC AVRIL. IL A TERMINÉ SES RECHERCHES. IL VOUS ATTEND EN FACE, "CHEZ LULU"...

ET, PATRON... QU'EST-CE QUE VOUS ALLEZ FAIRE AVEC CE TAS D'ORDURES ?
MOI, RIEN.
AH... ET MOI ?
OH... ÇA NE DEVRAIT PAS METTRE À PLAT TES TALENTS DE DÉDUCTION.

COMMISSAIRE.
MADEMOISELLE MARIE. ENCORE UNE HARASSANTE MATINÉE DE RÉPÉTITION ?
OUI, COMMENT AVEZ-VOUS DEVINÉ ?

VOUS DEVRIEZ SONGER À CHANGER LES ESCALOPES DE VEAU DANS VOS CHAUSSONS !!
JE CROIS QUE JE NE L'AIME PAS BEAUCOUP.

BONJOUR, COMMISSAIRE.
BONJOUR, JENRY. D'OÙ VOUS REVENEZ COMME ÇA ?
BAH... DE MON TRAVAIL. UN CHANTIER, PRÈS DE LA GARE DE L'EST... SI ÇA VOUS INTÉRESSE. C'EST GRÂCE À M. CLERC QUE J'AI EU L'ADRESSE, D'AILLEURS...

UN PEU QUE ÇA M'INTÉRESSE. HIER SOIR, VOUS M'AVEZ DIT QUE VOUS ÉTIEZ LE SEUL PLOMBIER À TRAVAILLER DANS CET IMMEUBLE.
BAH, C'EST VRAI. JE SUIS PEUT-ÊTRE LE SEUL... MAIS JE SUIS PAS OBLIGÉ DE FAIRE QUE ÇA NON PLUS.
EH BAH... ÇA PROMET.

LES GORGES DU VERDON... J'T'EN FOUTRAIS...

AH, COMMISSAIRE... ÇA FAIT BIEN PLAISIR DE VOUS REVOIR. ÇA FAISAIT UN BOUT...
BONJOUR, LUCIENNE...

LES AFFAIRES ?
FAITES PAS DE FRAIS DE CONVERSATION POUR MOI. JE SUIS SÛRE QUE VOUS ÊTES PRESSÉ. VOUS ÊTES TOUJOURS PRESSÉ. VOTRE COLLÈGUE VOUS ATTEND LÀ-BAS, AU FOND. UN DEMI ?
C'EST PAS DE REFUS.

AH, PATRON... VOUS AVEZ FAIT VITE.
JE SUIS VENU À LA NAGE. ALORS... QU'EST-CE QUE TU AS ?

PIERRE GUERRY... ANCIEN SERGENT DANS L'ARMÉE. SA JAMBE A ÉTÉ SACRÉMENT AMOCHÉE LORS DES DERNIÈRES BATAILLES DE 1918. À PEINE REVENU, IL SE FAIT COINCER QUELQUES MOIS PLUS TARD POUR CAMBRIOLAGE...
IL EN RESSORT QUATRE ANS APRÈS POUR BONNE CONDUITE. ET LÀ... LE VIDE COMPLET. ON PERD SA TRACE PENDANT PRESQUE DIX ANS.

LA PÉRIODE... PIERROT LA GUIBOLLE.
PIERROT LA... QUOI ?...
LE VIEUX BRICE A DIT À CADET QU'IL LE CONNAISSAIT SOUS CE SURNOM. C'EST UN NOM QUI REVENAIT SOUVENT DANS LES ENQUÊTES DE CAMBRIOLAGE À L'ÉPOQUE. TOUT LE MONDE AVAIT ENTENDU PARLER DE... PIERROT LA GUIBOLLE. UN BOITEUX... MAIS UNE SACRÉE FINE PATTE POUR OUVRIR UN COFFRE.
LE COMMISSAIRE DIVISIONNAIRE DE L'ÉPOQUE S'ARRACHAIT LES CHEVEUX. SES HOMMES MÊME PAS FOUTUS DE METTRE LA MAIN SUR UNE JAMBE FOLLE... ILS NE L'ONT JAMAIS ATTRAPÉ. ILS NE SAVAIENT MÊME PAS QUI C'ÉTAIT.

ON AVAIT DIT UN DEMI.
OH, HÉ OH... JE VOUS CONNAIS. SI C'EST POUR ME FAIRE REVENIR DANS DIX MINUTES.

BON, LA SUITE... JE T'ÉCOUTE.
BAH... ON N'A RIEN SUR LUI PENDANT CE TEMPS-LÀ. IL Y A DEUX ANS, IL EST ARRÊTÉ POUR IVRESSE SUR LA VOIE PUBLIQUE, REFUS D'OBTEMPÉRER, AGRESSION SUR AGENT... LA TRIPLETTE HABITUELLE.
RIEN SUR LUI PENDANT TOUT CE TEMPS... ET IL SE FAIT PINCER BÊTEMENT, IVRE MORT ?

SON FILS ET SA BELLE-FILLE VENAIENT DE MOURIR DANS UN ACCIDENT. IL A DIT AU JUGE QU'ILS L'AIDAIENT À S'EN SORTIR, À RESTER DANS LE DROIT CHEMIN. IL VIVAIT CHEZ EUX DEPUIS QUELQUE TEMPS. IL A AUSSI UNE FILLE... SOUFFRANT D'UNE FORME RARE DE TUBERCULOSE...
ELLE EST SOIGNÉE DANS UN SANATORIUM PRÈS DE LA FORÊT D'ERMENONVILLE, DEPUIS DES ANNÉES. APRÈS SON ARRESTATION... IL A FAIT À NOUVEAU QUELQUES MOIS DE CABANE. ET ENSUITE...

ENSUITE... LA RUE.
VU LES DATES, IL N'A PAS MIS LONGTEMPS À TROUVER SON NOUVEAU CHEZ-LUI. LA COUR DE L'IMMEUBLE DES CLERC. DISCRET, PAS MÉCHANT, FLATTEUR AVEC LES DAMES... IL N'A PAS TARDÉ À ÊTRE PRIS EN PITIÉ PAR LES LOCATAIRES... ET À ÊTRE TOLÉRÉ EN BAS DE CHEZ EUX. ET CE, PENDANT DEUX ANS... JUSQU'À HIER SOIR.

JUSQU'À HIER SOIR...

BAH... VOUS REVOILÀ, VOUS ?
QU'EST-CE... QUE... C'EST... QUE ÇA ?

DES ÉCHANTILLONS.
DES ÉCHANTILLONS DE QUOI ?
DE POTÉE AUX LENTILLES.

C'EST QUE... IL EST À PEINE 10 H 30...
OH... UN SOLIDE GAILLARD COMME VOUS, ON ME LA FAIT PAS À MOI. C'EST QU'UN PEU DE LARD, DE JARRET ET DE PALETTE BOUILLIS... AVEC DES OIGNONS, DES CAROTTES... DU THYM, DU LAURIER... ET ÉVIDEMMENT DES LENTILLES.
IL PARAÎT QUE VOUS ÊTES UN EXPERT.
ÉVIDEMMENT...

VOUS M'EN DIREZ DES NOUVELLES.
MERCI... LUCIENNE.
JE NE SAIS PAS SI JE SUIS UN EXPERT... MAIS AVEC UNE LOUCHE PAREILLE, JE NE VAIS PAS TARDER À LE DEVENIR.

QU'EST-CE QUE VOUS VOULEZ QUE JE FASSE MAINTENANT, PATRON ? J'ESSAIE DE VOIR AVEC LES AUTRES GARS DE LA RUE... LES HABITUÉS...
NON, DE TOUTE ÉVIDENCE... C'EST UN SOLITAIRE. IL NE TENTERA PAS DE SE COLTINER DES COPAINS. SURTOUT MAINTENANT... EN CAVALE AVEC LES BIJOUX DE NATHALIE CLERC DANS LES POCHES.

TOI ET CADET, VOUS ALLEZ COORDONNER LA SURVEILLANCE DES ENDROITS OÙ IL POURRAIT À NOUVEAU FOURGUER LES BIJOUX.
CHEZ LULU
PRÉVENEZ AUSSI NOS AGENTS ET LES ÎLOTIERS. JE NE VEUX PAS QU'ON LUI LAISSE... NE SERAIT-CE QU'UN TROU DE SOURIS.

HMM...

LA SURVEILLANCE EST EN COURS ?
TROIS ÉQUIPES EN ROTATION... PLUS NOS AGENTS DANS LES QUARTIERS VISÉS.
BIEN, BIEN... LE MEURTRE DE LA FEMME DE L'UN DE NOS INSPECTEURS NE DOIT PAS RESTER IMPUNI, BEC.

ET VOUS FEREZ DES HEUREUX AUX VOLS ET CAMBRIOLAGES. DEPUIS LE TEMPS QU'ILS TENTENT DE METTRE LA MAIN SUR CE... PIERROT LA BRICOLE...
LA GUIBOLLE... PATRON.
PEU IMPORTE SON SOBRIQUET STUPIDE, IL PAIERA POUR SES CRIMES... RÉCENTS ET ANCIENS.

...

JE CONNAIS CETTE TÊTE. ÇA VOUS DÉMANGE QUELQUE PART.
PLUSIEURS CHOSES QUI NE COLLENT PAS... À COMMENCER PAR LES TÉMOINS. OU PLUTÔT L'ABSENCE TOTALE DE TÉMOINS.
LA TAILLE DES MURS ? VOUS AVEZ ÉTÉ JUSQU'À LES MESURER VOUS-MÊME. 42 CENTIMÈTRES DE PIERRES ANCIENNES. VOUS ENTENDEZ À TRAVERS 42 CENTIMÈTRES DE PIERRES ANCIENNES, VOUS ?

ÇA NE CHANGE RIEN À L'ÉPAISSEUR DES FENÊTRES.
RASSEYEZ-VOUS, MON VIEUX. JE VAIS VOUS DONNER UN PETIT CONSEIL...

VOUS AVEZ ÉTÉ LE PLUS JEUNE INSPECTEUR FRANÇAIS PROMU À CE POSTE. ET VOUS ÊTES MAINTENANT LE PLUS JEUNE COMMISSAIRE DE CE PAYS. ON VOUS DIT TOUJOURS PRESSÉ... VOUS NE PRENEZ MÊME PAS LE TEMPS D'ENLEVER VOTRE MANTEAU DANS MON BUREAU. C'EST TOUT À VOTRE HONNEUR. MAIS, PERMETTEZ-MOI DE VOUS LE DIRE... DE MON POINT DE VUE...

... VOUS ÊTES PLUTÔT LENT. VOUS RECHIGNEZ CONSTAMMENT À BOUCLER DES AFFAIRES SIMPLES.
SI JE PEUX ME PERMETTRE À MON TOUR, MONSIEUR LE DIVISIONNAIRE... IL N'Y A PAS D'AFFAIRES SIMPLES... EST-CE QUE J'AI EU TORT DE CREUSER POUR LA FEMME DE L'AMBASSADEUR ?
NON. CERTES...
POUR L'HOMME SANS PIEDS ?
JE VOUS L'ACCORDE, MAIS...
POUR LE CHIEN BLEU ?

LE CHIEN BLEU ?
J'OUBLIAIS. VOUS N'AVEZ PAS SUPERVISÉ CELLE-CI... C'ÉTAIT LORS D'UN DÉPLACEMENT À QUIMPER, À LA DEMANDE DU PRÉFET.
ILS FONT DES CHIENS BLEUS À QUIMPER ?
ÇA LEUR ARRIVE.

TOC TOC !

TOC TOC TOC !
PAS... MAINTENANT.
Mon amour
ere fut i

PAS... MAINTENANT, NOM D'UNE PIPE !!

C'EST QUE... ILS L'ONT RETROUVÉ, PATRON.
GUERRY ?
OUI... ILS ONT MIS LA MAIN DESSUS.

VOUS POUVIEZ PAS LE DIRE... AU LIEU DE FRAPPER COMME UN SOURD SUR CETTE PORTE ?!
C'EST QUE... JE VOULAIS PAS VOUS DÉRANGER. MAIS... J'ÉTAIS OBLIGÉ ALORS... C'ÉTAIT COMPLIQUÉ.

C'EST CADET QU'IL FAUT FÉLICITER, PATRON. MOI, IL M'A SEMÉ. CETTE FOUTUE POTÉE...
...

ENTREZ, GUERRY... NE FAITES PAS LE TIMIDE. TU PEUX LUI ENLEVER SES BRACELETS...

FRANÇOIS... PAULETTE DOIT ENCORE ÊTRE OUVERTE EN BAS. SI TU PEUX ALLER NOUS CHERCHER NOTRE DÎNER... ET QUELQUES BIÈRES.
ÇA MARCHE, PATRON. TROIS JAMBON-BEURRE ET...
QUATRE SANDWICHS. M. GUERRY DÎNERA AVEC MOI.

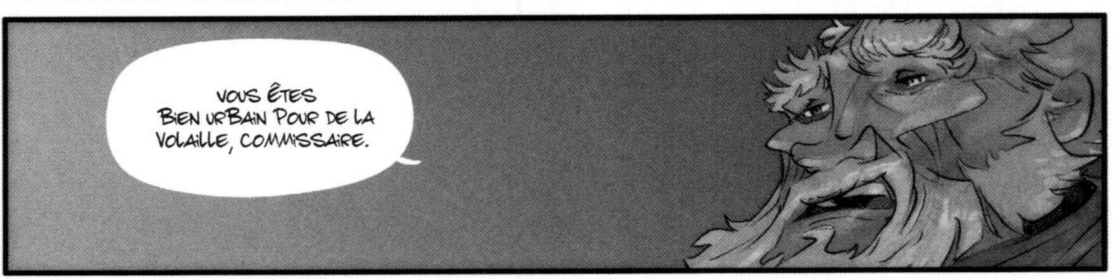
VOUS ÊTES BIEN URBAIN POUR DE LA VOLAILLE, COMMISSAIRE.

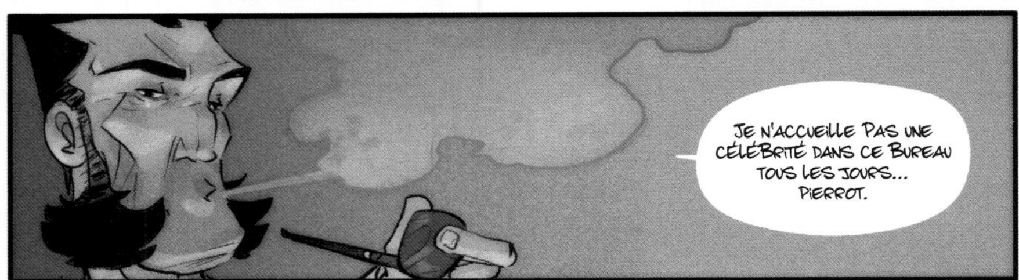
JE N'ACCUEILLE PAS UNE CÉLÉBRITÉ DANS CE BUREAU TOUS LES JOURS... PIERROT.

BAH... C'EST LE PASSÉ, ÇA...
IL A TENDANCE À SACRÉMENT TE RATTRAPER... DEPUIS HIER SOIR.
QU'EST-CE QUE VOUS VOULEZ QUE JE VOUS DISE ? MON INFIRMITÉ ME DÉSAVANTAGE.

MALGRÉ TA BÉQUILLE... TU AS FILÉ DANS LES PATTES D'UN PAQUET DE MES COLLÈGUES TOUTES CES ANNÉES. BIEN PLUS LONGTEMPS QUE D'AUTRES. VALIDES ET PLUS JEUNES.

SUFFIT DE PAS ÊTRE UN MANCHE, COMMISSAIRE. DANS LE MILIEU, ÇA A TOUJOURS JACASSÉ. DES BAVEUX, DES VRAIS CANCANS. MOI, JE LEUR AI JAMAIS DONNÉ MON VRAI NOM... ELLES ÉTAIENT BIEN EMMERDÉES, LES CONCIERGES DE MONTMARTRE.

LE COFFRE DES SALVIN, EN JUIN 1921... DANS UNE PROPRIÉTÉ DE VERSAILLES. ÇA TE DIT QUELQUE CHOSE ? ON PARLAIT DE TOI À L'ÉPOQUE. TU AURAIS FAIT PARTIE DE L'ÉQUIPE...
DE LA BELLE OUVRAGE, ÇA. DU TRAVAIL PROPRE. DES OMBRES, LES GARS... DES FANTÔMES. ET UN JOLI PACTOLE À LA CLÉ. SANS UNE BONNE FEMME, NI UN GOSSE RÉVEILLÉS... ET LE MOLOSSE DE MONSIEUR QUI LÈVE PAS UNE OREILLE. MAIS, NON... JE FAISAIS PAS PARTIE DE L'ÉQUIPE.

J'ÉTAIS TOUT SEUL.

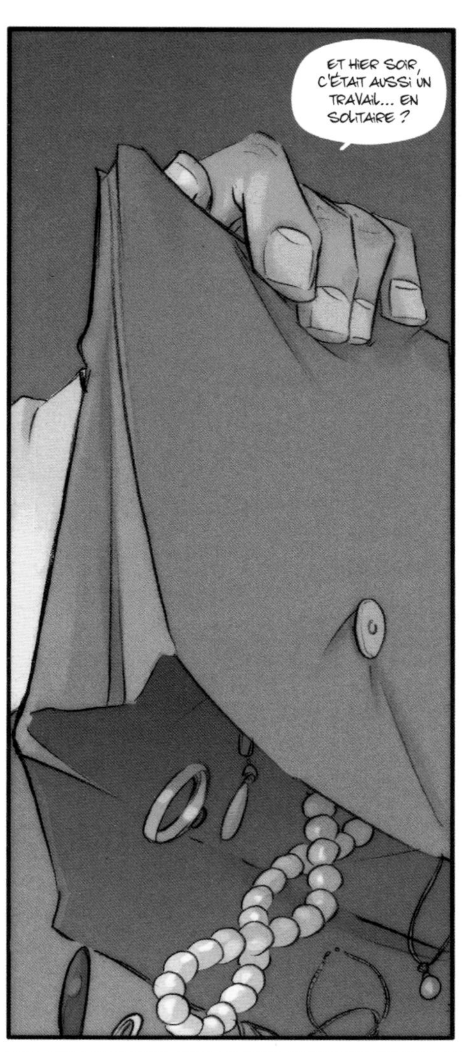
Et hier soir, c'était aussi un travail... en solitaire ?

Difficile de nier avec ses bijoux dans tes poches. Bijoux que tu essayais aujourd'hui de fourguer à Georges Mettrano... Georgie... encore un autre de tes anciens voisins de chambrée.
...

Je ne nie pas. C'est juste que... je suis triste pour elle. Je voulais pas que ça se passe comme ça. J'ai... j'ai pas eu le choix...
Tu ne voulais pas que ça se passe comment ? Comment tu t'es retrouvé chez elle ?

Le mari est parti en début de soirée... je savais qu'elle était seule. Je l'avais vue porter des beaux bijoux... son homme avait l'air de la gâter.
Je suis monté. On papotait toujours un peu dans la cour... elle me croyait pas méchant. Elle a ouvert la porte...

... Je me suis rué sur elle. Elle a paniqué. Je l'ai bousculée un peu pour la faire parler. Elle a pas tardé à cracher la cachette des bijoux. Je suis ressorti de la chambre... elle a essayé de me retenir... je l'ai poussée trop fort...

... et elle est tombée.

Après des années de cavale, après avoir croisé cette femme tous les jours pendant plus de deux ans, une femme aimable que tu appréciais... il te prend hier soir une irrépressible envie d'aller forcer sa porte, de la brutaliser, lui arracher ses bijoux et la jeter par la fenêtre ?

Je voulais pas que ça se passe comme ça ! J'ai pas eu le choix !!

J'ai pas eu le choix...

Ainsi... il vous arrive de ne pas porter ce manteau... tout du moins sur votre dos.

Monsieur le divisionnaire ?
Je tenais à passer vous féliciter en personne avant de rentrer.

En bois, monsieur le divisionnaire. Une tête de mule en bois.
Des détails qui ne collent toujours pas...

Des aveux complets signés. Que demander de mieux, pas vrai ?
Eh bien, pour être franc... je ne suis pas totalement satisfait.

Vous... vous recommencez ?
J'y suis bien obligé...
Mais, ma parole... vous êtes... vous êtes une vraie tête de mule, Bec.

Des détails, Bec !! Des détails... vous venez de le dire. Vous tenez un repris de justice, recherché par nos services depuis des années... qui vient d'avouer le meurtre de cette femme. Qu'est-ce qu'il vous faut de plus ?

Je lui ai demandé quel meuble il avait renversé dans l'entrée des Clerc. Il l'ignorait. Je lui ai demandé de décrire...

Je vous croyais trop tatillon sur cette affaire... je vais finir par croire que vous êtes incompétent, Bec. Est-ce que je me souviens de la forme de la crotte de chien dans laquelle j'ai marché tout à l'heure ? Je vous le demande !

Oh, bien, si vous me le demandez vraiment, je dirais que non. Vous aviez déjà marché dessus lorsque vous vous en êtes rendu compte. Mais d'un autre côté...
Cette crotte ne vous barrait pas la route vers une petite fortune.
Et vous osez faire le malin...

Je... ne... fais... pas... le malin. Je réfléchis.
Pa... patron ? On a un problème.

PAS MAINTENANT. NOUS SOMMES OCCUPÉS.

UN SÉRIEUX PROBLÈME. VOUS DEVRIEZ... DESCENDRE. VOUS AUSSI, MONSIEUR LE DIVISIONNAIRE...

SEIGNEUR, COMMISSAIRE...
... JE SUIS DÉSOLÉ. JE VOUS ASSURE... COMMENT JE POUVAIS SAVOIR...

DU CALME, MALANDRÉ. QU'EST-CE QUI S'EST PASSÉ ?

ON M'A AMENÉ LE SUSPECT AU DÉPÔT... APRÈS VOTRE INTERROGATOIRE. IL A DEMANDÉ À DÎNER...
IL AVAIT DÎNÉ AVEC MOI.

JE LE SAIS BIEN. ÇA VOUS ARRIVE PAS TOUS LES JOURS DE SOUPER AVEC CES TYPES-LÀ. LES GARS LÀ-HAUT ME L'ONT RACONTÉ. MAIS IL A INSISTÉ... PLUSIEURS FOIS.
"SOYEZ PAS VACHE... J'AI RIEN MANGÉ DEPUIS DES JOURS. C'EST PAS UN CASSE-CROÛTE QUI VA ME CALER", QU'IL M'A DIT.

MOI, BONNE POIRE... JE LE CROIS... IL RESTAIT UN PEU DE SOUPE... JE LUI APPORTE... ET LÀ, IL ME LANCE...
"DITES-LUI... QUE J'AVAIS PAS LE CHOIX..."

VOILÀ... QUI DEVRAIT RÉPONDRE À VOS DERNIÈRES QUESTIONS, MARTIN.
...

il Paraît que le divisionnaire exige que vous bouclîez le dossier... et que vous vous occupiez maintenant de l'affaire Langlois.
Plus il y a d'enquêtes résolues, plus le ministre est content. Plus le ministre est content, plus le préfet est content. Plus le préfet est content... plus le divisionnaire est en joie. Mais dans le cas présent, la bonne humeur de mes supérieurs... est le dernier de mes soucis.
oui... ça n'a pas l'air de vous faire sauter au plafond.
Peu importe. Mon rapport sera sur son bureau lundi matin.
EXCELSIOR PALACE
CINÉMA

"Lundi matin" ? Pourquoi laisser passer le week-end ? Nous avons déjà...
Oh... un oubli stupide. M. Lambert et sa femme ont oublié de signer leurs dépositions. Et ils sont en déplacement chez leurs enfants, dans l'Orne, tout le week-end. Évidemment, le dossier étant incomplet...
J'ai relu les dépositions aujourd'hui... il ne me semble pas...

...
Oh... je vois. Et je suppose que nous ne sommes pas venus non plus ici pour une louche de lentilles.

Peut-être en sortant. Je crois que tu connais le chemin.
Et l'affaire Langlois ? Serquert va se douter...
Avril est déjà sur le cas Langlois. il nous fera... un exposé.

il est quand même un peu tard pour relancer les interrogatoires, patron. À domicile qui plus est...
Oh... je ne vais rien interroger du tout. Nous allons simplement vérifier une petite théorie...

... que m'a confiée un vieil ami anglais, il y a de ça des années. Elle lui avait plusieurs fois servi... mais je n'ai jamais pu la vérifier de mon côté.
Tu as de la monnaie ?

Observe.

J'ai bien quelques pièces... mais pas de quoi soudoyer un témoin, patron.
C'est parfait. Pas de billets. Plus quelques francs de mon côté...

BLING !
BLING !
BLING !

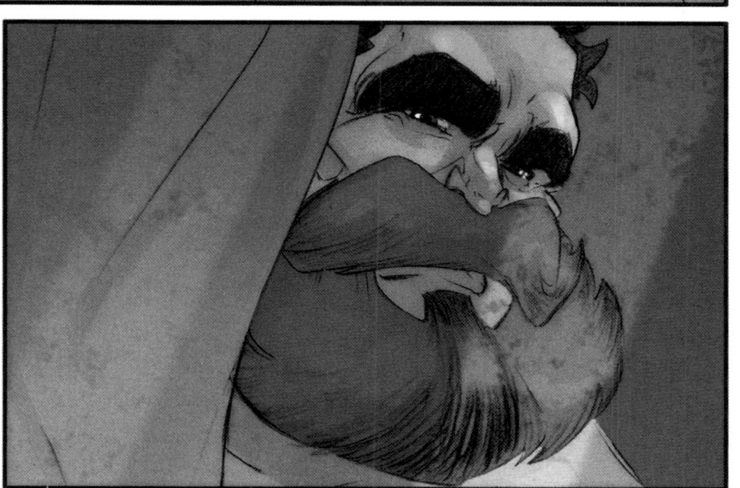

T'aurais vu leurs têtes. Comme des gamins pris la main dans un sac de bonbons...
Et le chef ? Qu'est-ce qu'il a dit ?
Rien. J'ai eu l'impression qu'il s'empêchait d'éclater de rire. J'en suis pas sûr... Parce que...
On l'a jamais vu éclater de rire ?

Et ensuite ?
Et ensuite... Il m'a offert une louche de potée aux lentilles, comme promis.
T'as réussi à faire passer la recette, toi ?
M'en parle pas... J'ai pas fermé l'œil.

Peux-tu les accompagner jusqu'à ma classe, Suzie... J'en ai pour une seconde...

Salut, patron !
Patr...

Commissaire ? Vous vouliez... me parler ?

J'espérais... que vous, vous auriez quelque chose à me dire, mademoiselle.

Je... Je vous ai dit... tout ce que je sais.

Vous ne m'avez toujours pas dit pourquoi vous avez peur. C'est un sentiment... difficile à cacher, n'est-ce pas ?
...

SUCRE, COMMISSAIRE ?
NON, MERCI.
JE... JE VOUS AI VU DANS LA COUR HIER SOIR.

EN MANQUE DE COTON ?
NON... JE... JE LES AVAIS MAL ENFONCÉS... ET... JE VOUS EN PRIE, ASSEYEZ-VOUS... J'AVAIS DU MAL À TROUVER LE SOMMEIL. VOUS... AVEZ TROUVÉ CE QUE VOUS CHERCHIEZ ?

J'AI TROUVÉ EXACTEMENT CE QUE JE CHERCHAIS.

C'EST UN MAGNIFIQUE PIANO. UN STERLING DEMI-QUEUE, N'EST-CE PAS ?
JE NE VOUS SAVAIS PAS MÉLOMANE, COMMISSAIRE.
SIMPLEMENT... CURIEUX.
ET MA CURIOSITÉ M'A POUSSÉ À ME RENSEIGNER SUR VOS ŒUVRES.

OH... LE MOT EST SANS DOUTE UN PEU FORT. JE FAIS SIMPLEMENT DE MON MIEUX POUR SATISFAIRE LES SALLES ET LES THÉÂTRES QUI M'ENGAGENT...

LA FERMETURE DU "PETIT MONTMARTRE" N'A PAS DÛ VOUS ARRANGER... J'AI CRU COMPRENDRE QUE CE THÉÂTRE REPRÉSENTAIT LA MAJEURE PARTIE DE VOS COMMANDES.

EN EFFET... CE FUT UN REVIREMENT INATTENDU. J'ESSAIE DEPUIS DE ME DIVERSIFIER, DE PROPOSER DES COMPOSITIONS DIFFÉRENTES... NOTAMMENT POUR LE CINÉMATOGRAPHE. MAIS JE NE VAIS PAS VOUS LE CACHER... LES TEMPS SONT DURS.

C'EST UN MAGNIFIQUE PIANO, MONSIEUR DARTINI.
...

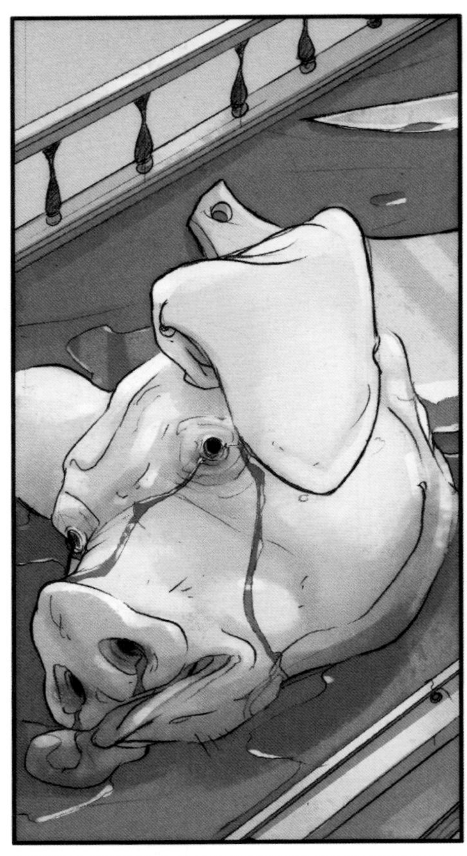

...

NE ME DITES PAS QUE VOUS ÊTES UN SENTIMENTAL ? LUCIENNE M'A RACONTÉ QUE VOUS AVIEZ UN SACRÉ COUP DE FOURCHETTE D'AILLEURS...
MA VIANDE ET MES SUSPECTS ONT GÉNÉRALEMENT ÇA EN COMMUN. JE LES PRÉFÈRE...
... ATTENDRIS ?
CUISINÉS.

QU'EST-CE QUE JE PEUX FAIRE POUR VOUS, COMMISSAIRE ? À PART VOUS CONSEILLER MES PIEDS DE COCHON ET MA TÊTE DE VEAU...

ALBERT... CISEAUX... TALAN.

QUELLE MALADROITE JE FAIS...
CE NOM... NE NOUS DIT RIEN, COMMISSAIRE.

JE SUPPOSE QUE LES GENS QUI LUI ONT EMPRUNTÉ DE L'ARGENT... DANS UN MOMENT DIFFICILE... OU POUR GARDER UN COMMERCE À FLOT PAR EXEMPLE... ÉVITENT DE TROP SOUVENT PENSER À LUI. ET LA SIGNIFICATION DE CE SOBRIQUET...

... N'OUVRE PAS PARTICULIÈREMENT L'APPÉTIT.

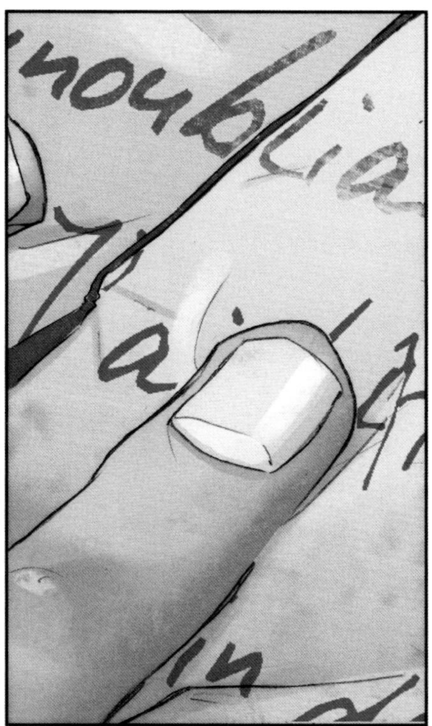

AH, PATRON... JE VOUS AI CHERCHÉ LÀ-BAS... MAIS...
... JE M'ÉTAIS ÉVANOUI DANS LA NATURE. COMME LE RESTE DE L'IMMEUBLE. MÊME LES LAMBERT. SI ON M'APPRENAIT QUE CES DEUX PETITS VIEUX ONT SOUDAINEMENT DÉCIDÉ DE S'ADONNER AU SKI ALPIN... ÇA NE M'ÉTONNERAIT QU'À MOITIÉ.

VOUS AVEZ L'AIR... DE MAUVAIS POIL, PATRON.

VRAIMENT ?
JE NE COMPRENDS PAS. ET ÇA M'EXASPÈRE.

AH ÇA, VOUS... QUAND VOUS COMPRENEZ PAS QUELQUE CHOSE...
TENEZ, JE NE SAIS PAS SI ÇA VOUS AIDERA BEAUCOUP. CE QUE J'AI PU TROUVER AUX ARCHIVES. IL N'Y A PAS GRAND-CHOSE... ET UNE MAIN COURANTE FAITE AU COMMISSARIAT DU 4E ARRONDISSEMENT...

UNE PLAINTE DE LA DANSEUSE... POUR HARCÈLEMENT, IL Y A QUELQUES MOIS. UN ANCIEN PETIT AMI JALOUX... ET PARTICULIÈREMENT COLLANT. L'AFFAIRE EN EST RESTÉE LÀ. LA FLEURISTE S'EST FAIT PIQUER SA CAISSE PAR UNE BANDE DE PETITS MALFRATS IL Y A QUELQUE TEMPS... ON NE LES A JAMAIS RETROUVÉS. MAIS TOUT ÇA N'A AUCUN RAPPORT AVEC NATHALIE CLERC.

LA FLEURISTE... EN PARLANT D'ELLE... J'AI PRESQUE FINI...
PASSE-MOI LA COLLE, TU VEUX...

TU AS TOUJOURS LA LISTE DES BIJOUX QUE T'A FAITE CLERC LE SOIR DU CRIME ?

ELLE DOIT ÊTRE... QUELQUE PART... PAR LÀ...
RETROUVE-LA-MOI, TU VEUX...

C'EST UN GENRE… DE PUZZLE ?
ÇA COMMENCE COMME UN PUZZLE. SAUF QUE CE N'EST NI DRÔLE NI DISTRAYANT. ET ENSUITE, LE JEU ÉVOLUE. ET IL S'APPELLE MAINTENANT…

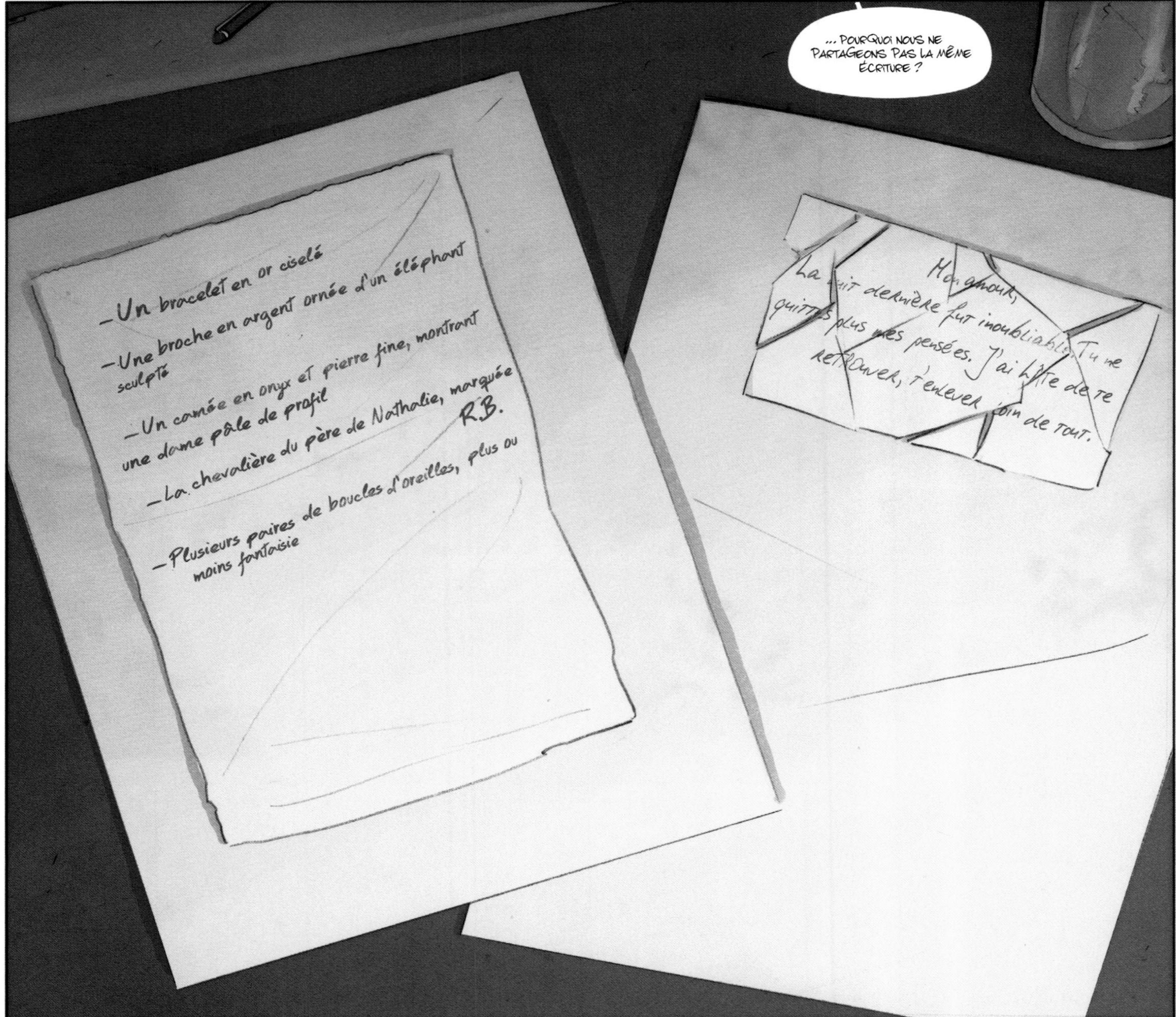
… POURQUOI NOUS NE PARTAGEONS PAS LA MÊME ÉCRITURE ?
– Un bracelet en or ciselé
– Une broche en argent ornée d'un éléphant sculpté
– Un camée en onyx et pierre fine, montrant une dame pâle de profil
– La chevalière du père de Nathalie, marquée R.B.
– Plusieurs paires de boucles d'oreilles, plus ou moins fantaisie
Mon amour,
La dernière fut
quitt plus mes pensées. J'ai te de te
retrouver, t'enlever de tout.

Géraniums,
Fruits au balcon.
À partir de
2 francs
seulement.

MADEMOISELLE
BLING BLING!
COMMISSAIRE ?

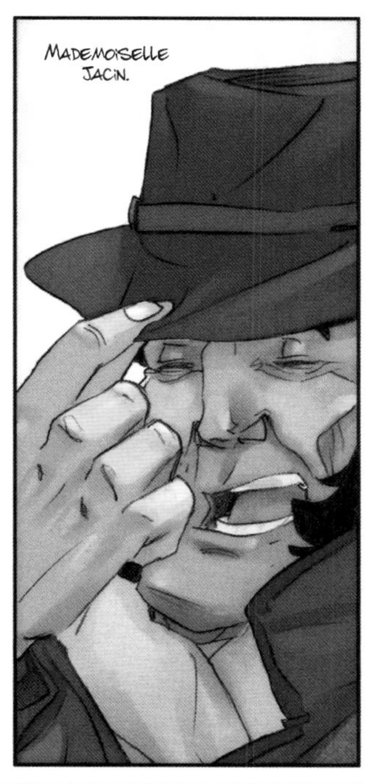
MADEMOISELLE JACIN.

J'AI APPRIS LE SUICIDE DE GUERRY DANS LA PRESSE CE MATIN... C'EST ATROCE. PAUVRE HOMME...

LA MORT DE L'ASSASSIN DE NATHALIE CLERC SEMBLE... PARTICULIÈREMENT VOUS TOUCHER.
NON... JE VOULAIS DIRE. TOUTE CETTE AFFAIRE EST ATROCE ET HORRIBLE. GUERRY MÉRITAIT PROBABLEMENT LA FIN... QU'IL A CHOISIE.

VOUS AVEZ SIGNALÉ DANS VOTRE DÉPOSITION QUE JEAN-BAPTISTE CLERC ÉTAIT VENU VOUS ACHETER DES ROSES ROUGES LE MATIN DU CRIME. IL EST DESCENDU DE CHEZ LUI, A ACHETÉ LE BOUQUET... ET EST REMONTÉ L'OFFRIR À SA FEMME.
OH, EH BIEN... SI LES ROSES SE TROUVAIENT CHEZ LUI LE SOIR MÊME... IL A SANS DOUTE... JE PENSE...

JE PENSE, MADEMOISELLE JACIN, SANS L'OMBRE D'UN DOUTE, QUE VOUS MENTEZ.
EH BIEN... JE NE CONNAIS PAS L'EMPLOI DU TEMPS DE M. CLERC CE JOUR-LÀ... JE PEUX ME TROMPER...
C'EST MOI QUE VOUS TENTEZ DE TROMPER, MADEMOISELLE. AVEC UN APLOMB CERTAIN, D'AILLEURS.

SI JEAN-BAPTISTE CLERC AVAIT ACHETÉ CES FLEURS, IL N'AURAIT PAS GLISSÉ UNE CARTE À L'INTENTION DE SA FEMME. IL ALLAIT LES LUI OFFRIR EN PERSONNE QUELQUES MINUTES PLUS TARD.
ET SI CLERC AVAIT GLISSÉ UN MOT POUR SA FEMME... IL L'AURAIT SANS DOUTE ÉCRIT LUI-MÊME...

ET CE N'EST ABSOLUMENT PAS SON ÉCRITURE.

Vous pouvez regarder vos pieds... ils ne me diront pas qui était l'amant de Nathalie Clerc, mademoiselle.
...

Un homme habitant l'immeuble... un homme apprécié...
Vous vous trompez...
Alors dites-moi la vérité, mademoiselle. Qui vous a acheté ces fleurs ce matin-là ?

Mme Clerc... n'avait pas d'amant.
Elle avait... une maîtresse.

Une maîtresse ? Une femme de l'immeuble ?

Non, une femme distinguée... une grande dame blonde, habillée à la dernière mode. On aurait dit... une star de cinéma. C'était la troisième fois qu'elle venait...
Elle lui faisait parvenir un bouquet par semaine. Toujours des roses rouges... accompagnées d'un petit mot romantique.

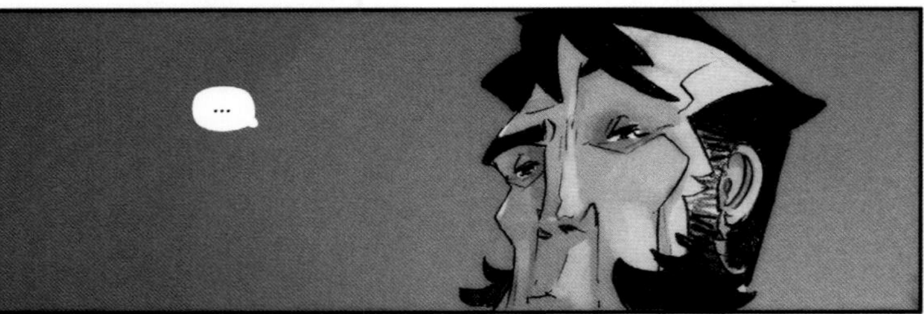
...

Vous viendrez ce soir, après votre travail, modifier votre déposition. Vous décrirez aussi cette... blonde distinguée. De votre sincérité... dépendra ma bienveillance au sujet de votre faux témoignage, mademoiselle.
Je vous conseille d'être... convaincante.

BLING
BLING
0.5

Géraniums
2 francs

Elle me prend vraiment pour une truffe !!

Une... une femme ?
Une femme... tentait de séduire ma propre femme ?
Oh, au vu du dernier mot qu'elle lui a fait parvenir... elle faisait bien plus que tenter de la séduire, Jean-Baptiste. Leur relation semble avoir été... intime.

J'avoue... que j'ai du mal à comprendre, commissaire. Le divisionnaire Serquert est venu me voir ce matin même.
Il voulait m'informer personnellement que l'affaire était classée...
Que Guerry était bien le coupable et qu'il s'était suicidé dans sa cellule. Et maintenant... cette femme...

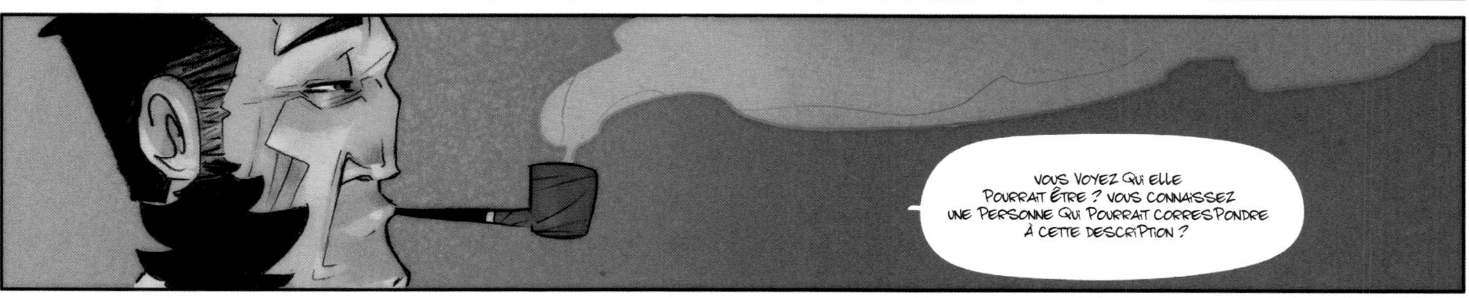
Vous voyez qui elle pourrait être ? Vous connaissez une personne qui pourrait correspondre à cette description ?

Je travaille aux mœurs à Pigalle... principalement dans des affaires liées aux maisons closes. Je connais beaucoup de femmes, commissaire.
Mais... elles sont rarement distinguées et habillées à la dernière mode.

L'écriture que vous voyez sur cette carte n'est pas celle de cette mystérieuse maîtresse. Mais celle de la fleuriste, Mlle Jacin. Le poignet bandé depuis trois semaines, l'inconnue lui faisait écrire ses mots à sa place.

Ce détail vous rappelle-t-il quelque chose ? Une connaissance de votre épouse... une standardiste, une secrétaire dans votre commissariat... cette main bandée ne vous rappelle vraiment rien ?

Peut-être une professionnelle liée à votre travail aux mœurs...

Vous sous-entendez que ma femme voyait une poule ? Une putain ?! Chez nous ?! C'est ça que vous voulez me faire dire, Bec ?!

PARDONNEZ-MOI...

COMME JE VOUS L'AI DIT... JE CROYAIS QUE NATHALIE ACHETAIT ELLE-MÊME CES BOUQUETS POUR LA MAISON. C'EST CE QU'ELLE M'AFFIRMAIT. JE NE CONNAIS PAS CETTE FEMME. JE NE VOIS PAS QUI ÇA PEUT ÊTRE.
ET JE VOUS DEMANDERAI D'ÊTRE LE PLUS DISCRET POSSIBLE. LA MÉMOIRE DE NATHALIE...

CES DÉTAILS RESTERONT ENTRE MES ENQUÊTEURS ET MOI. À MOINS QU'ILS NE VIENNENT... BOULEVERSER CETTE AFFAIRE.

EN CE QUI ME CONCERNE... JE RETIENDRAI LA VERSION OFFICIELLE QUE M'A DONNÉE LE DIVISIONNAIRE CE MATIN. JE NE VOIS PAS CE QU'UNE ENQUÊTE SUR LA VIE SENTIMENTALE DE MA FEMME CHANGERA À ÇA.

ÇA NE VOUS SEMBLE PAS SUFFISANT... QUE GUERRY SE SOIT SUICIDÉ AINSI ? ICI MÊME.

IL A RAISON, PATRON. GUERRY S'EST VIDÉ DE SON SANG APRÈS S'ÊTRE TRANCHÉ LA CAROTIDE...
LE MORCEAU DE VERRE DANS LA GORGE DE NATHALIE AVAIT FAIT DE MÊME. C'EST UN POINT COMMUN... TROUBLANT.

GUERRY S'EST TUÉ COMME IL POUVAIT... AVEC CE QU'IL AVAIT SOUS LA MAIN... EN L'OCCURRENCE UNE CUILLÈRE À SOUPE. TU VOIS UN AUTRE MOYEN DE TE SUICIDER AVEC UNE CUILLÈRE À SOUPE, TOI ?

OH, J'EN VOIS BIEN UN... MAIS VOUS ÊTES IMMUNISÉ.

Ils savaient faire des portes en ce temps-là, c'est moi qui vous le dis... Rien à voir avec les serrures bon marché d'aujourd'hui... Même des nouveau-nés pourraient les ouvrir sans forcer.
J'aurais peut-être dû appeler une nursery... On aurait gagné du temps.
Vous auriez déjà dû passer il y a deux jours... Vous pouvez pas vous dépêcher ?

C'est que... Je ne suis pas à la disposition de M. le commissaire quand ça l'arrange... Levez votre lampe, s'il vous plaît. J'ai une entreprise à faire tourner, moi.
Si vous pouviez simplement tourner cette poignée... et ouvrir cette porte.

Ça coince ?

Tu n'es plus sur l'affaire Langlois ?
Le majordome est louche. Très louche. Mais il attendra. Le patron me veut avec toi... Le temps de fouiller la cave. Il pense qu'on sera pas trop de deux.
Sans doute. Si on arrive un jour à entrer...

Bon, bah... Ça veut pas. Je vois plus qu'une solution.

Vous vous foutez de nous ?! C'était bien la peine de vous appeler !! Nous aurions pu le faire à votre place il y a deux jours...
Donnez-moi ça.

CLANG!

MAIS QU'EST-CE QUE C'EST QUE CE CHAHUT ENCORE ?! COMMISSAIRE... VOUS AVEZ VU L'HEURE ?!

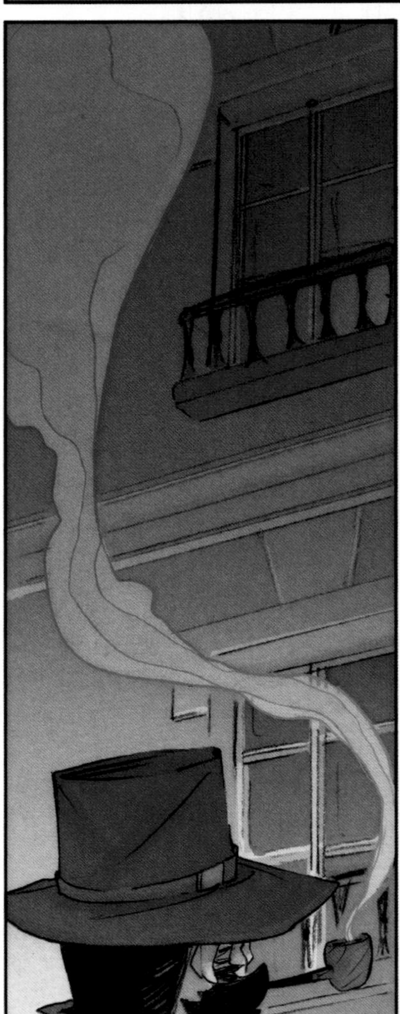

QU'EST-CE QU'ON FAIT, PATRON ?

TAP TAP

EMBARQUEZ-LES.
EUH... LESQUELS, CHEF ?

TOUS, GUICHARD. TOUS.
IL VA FALLOIR QUE J'APPELLE...

C'EST UN SCANDALE !! UN VÉRITABLE SCANDALE !! VOUS SAVEZ DANS COMBIEN DE TEMPS JE ME LÈVE, MOI ?!
ET MOI DONC !! DES GENS TENTENT DE TRAVAILLER DANS CET IMMEUBLE !! DUREMENT...
OH, N'EN RAJOUTEZ PAS, JENRY... NOS FUTES VOUS ATTENDENT DEPUIS UN MOMENT DÉJÀ. ET VOUS N'ÊTES JAMAIS LEVÉ AVANT MIDI...

ET VOUS COMPTEZ NOUS FAIRE DORMIR ICI TOUS LES SOIRS ?!
VOUS POURRIEZ AUSSI BIEN NOUS DEMANDER UNE PENSION.
JE... NE COMPRENDS PAS CE QUE NOUS FAISONS ENCORE ICI.
OH, NOUS ASSISTONS SIMPLEMENT À L'IMPUISSANCE DE LA POLICE, MADAME LAMBERT... VOILÀ TOUT !! SON INCAPACITÉ TOTALE À RÉSOUDRE CETTE...

ASSEZ !!

VOUS ALLEZ LA FERMER !! TOUS AUTANT QUE VOUS ÊTES ! GARDER LE SILENCE NE DEVRAIT PAS VOUS POSER DE PROBLÈMES. VOUS FAITES ÇA MIEUX QUE PERSONNE, N'EST-CE PAS ? N'EST-CE PAS ?!

ALORS... CONTINUEZ COMME ÇA. SILENCE !!

IL EST BIEN, CE LIVRE ?
NATHAN ELSE EST MON DÉTECTIVE PRÉFÉRÉ.

MOI AUSSI.
IL EST LÀ, PATRON.

C'EST UN SCANDALE, BEC.

NE COMMENCEZ PAS SUR CE REGISTRE, CLERC. VOS TRÈS CHERS VOISINS ME JOUENT DÉJÀ CETTE PARTITION DEPUIS UN MOMENT...

LE COMMISSAIRE DIVISIONNAIRE SERQUERT EN ENTENDRA PARLER... VOUS POUVEZ EN ÊTRE SÛR.
OH, J'EN SUIS PERSUADÉ...

ET JE SUPPOSE AUSSI QUE LE PRÉFET SERA TRÈS DÉÇU DE CETTE INITIATIVE. VOTRE GRAND AMI... LE PRÉFET JALAIN. HABITUÉ DES GRANDES TABLES... ET DES LIEUX PLUS CONFIDENTIELS. COMME "LE BOUDOIR" DE Mme HERMANN... UN ÉTABLISSEMENT SOUS LA SURVEILLANCE DE VOS SERVICES, N'EST-CE PAS ?

C'EST TOUT CE QUE VOUS AVEZ, BEC ? SI DES INSINUATIONS LAMENTABLES DOIVENT ME CONDUIRE AU FER...

CE N'EST QU'UNE RUMEUR QUI CIRCULE DANS LES COULOIRS DU PALAIS. LES ON-DIT NE VALENT PAS GRAND-CHOSE ET LA VIE NOCTURNE DU PRÉFET M'IMPORTE PEU.
LA VÔTRE EN REVANCHE... M'INTÉRESSE BEAUCOUP PLUS.

VOUS ÊTES UN OISEAU DE NUIT, CLERC. DOUBLÉ D'UN MARI VOLAGE. JE NE VOUS APPRENDS RIEN... VOUS L'AVEZ TOUJOURS ÉTÉ.

J'AI FAIT DES ERREURS. TOUT LE MONDE LE SAIT. NATHALIE LE SAVAIT AUSSI.

EN EFFET, ELLE LE SAVAIT. ELLE CONNAISSAIT AUSSI... MIEUX QUE PERSONNE...

... LA JALOUSIE MALADIVE QUI VOUS HABITE.
VOUS N'AVEZ PAS EU À BRODER BEAUCOUP AUTOUR DE CETTE HISTOIRE DE SÉDUCTION DE GUERRY. VOUS ÉTIEZ VÉRITABLEMENT JALOUX D'UN VIEUX CLOCHARD... AIMABLE ET FLATTEUR. COMME VOUS NOUS L'AVEZ CONFIÉ LE SOIR DU CRIME...

il la regardait passer tous les jours... avec cet air mauvais. ce salopard de Guerry... j'aurais dû le chasser d'ici bien avant...

Guerry a tué ma femme !! il vous l'a dit !! ici même !!
Qu'est-ce qu'il vous faut de plus, nom de dieu ?!

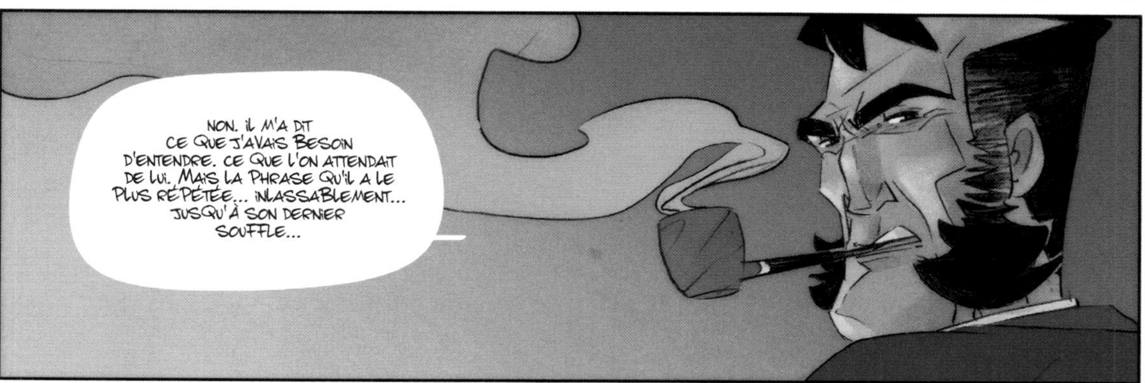
Non. il m'a dit ce que j'avais besoin d'entendre. ce que l'on attendait de lui. mais la phrase qu'il a le plus répétée... inlassablement... jusqu'à son dernier souffle...

Je voulais pas que ça se passe comme ça ! J'ai pas eu le choix !!

"Je n'ai pas eu le choix."

Bien sûr qu'il n'a pas eu le choix !! Nathalie s'est défendue, a tenté de le chasser... il était obligé de la tuer !

Je ne doute pas que ce se soit passé ainsi...
Alors... si vous êtes d'accord... qu'est-ce que je fais là, commissaire ? c'est absurde...

Je suis convaincu que ça ne s'est pas passé ainsi.

Vous recommencez... vous refusez de voir l'évidence. et vous tentez vainement de me voir jouer un rôle dans votre petite scène montée de toutes pièces. Je n'ai pas tué la femme que j'aimais...
Je l'aimais, Bec... de tout mon cœur...

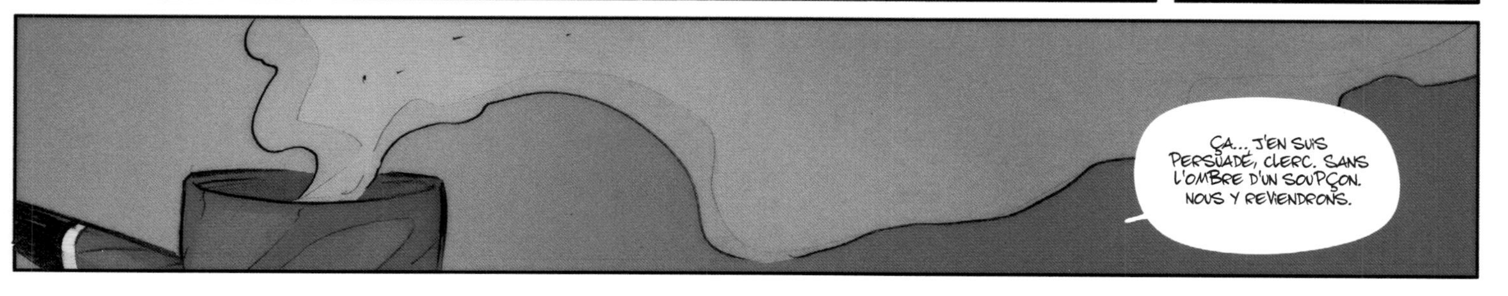
Ça... j'en suis persuadé, Clerc. sans l'ombre d'un soupçon. nous y reviendrons.

Parlez-moi de vos voisins, Jean-Baptiste.
Il n'y a pas grand-chose à en dire... Ce sont des voisins. Comme les voisins de tout le monde...

Mais tout le monde n'a pas la chance de vous avoir comme voisin.

Qu'est-ce que vous voulez que je vous dise ? Ce sont des gens honnêtes... qui travaillent dur pour la plupart. Je leur rends service quand je peux... et ils font de même. Des relations de voisinage comme d'autres, je suppose.

Mais à nouveau... tout le monde n'a pas la chance d'avoir un inspecteur des moeurs comme voisin.
Un homme influent dans certains cercles... connaissant Paris comme sa poche...

Un chantier, près de la Gare de l'Est... si ça vous intéresse. C'est grâce à M. Clerc que j'ai eu l'adresse, d'ailleurs...

Et alors ? Vous allez m'inculper pour un "service amical" ?
C'est pitoyable...

Non... Ce qui est pitoyable, c'est de voir de braves gens avoir de sérieux ennuis. Comme les Galien...
De braves commerçants mêlés, pour une histoire d'argent, à des personnes peu récommandables.
Des individus comme Albert Talan.

Quelle maladroite je fais...
Ce nom... ne nous dit rien, commissaire.

Un criminel notoire... doublé d'un sadique travaillant ses débiteurs aux ciseaux.

COMME IL LE FAIT PAR AILLEURS... AVEC LES FILLES SOUS SA COUPE À PIGALLE. UN INDIVIDU SUR LEQUEL VOUS ENQUÊTEZ DEPUIS DE LONGUES ANNÉES, N'EST-CE PAS ?
TALAN EST UNE VIEILLE FIGURE DE PIGALLE. IL A PIGNON SUR RUE. JE L'AI ARRÊTÉ PLUSIEURS FOIS... C'EST VRAI. ET ALORS ?! QUEL EST LE RAPPORT ?

"ET ALORS ?" ALORS PERSONNE NE RESTE ENDETTÉ AUPRÈS D'ALBERT TALAN TRÈS LONGTEMPS. OU ALORS AVEC QUELQUES DOIGTS EN MOINS. C'EST ÉTONNANT QUE TALAN SOIT AUSSI INDULGENT AVEC LES GALIEN. POUR NE PAS DIRE... EXCEPTIONNEL. OU BIEN QUELQU'UN DOIT ÊTRE INTERVENU EN LEUR FAVEUR. QUELQU'UN... DE PERSUASIF.

VOUS BRASSEZ DU VENT, COMMISSAIRE. ET JE NE VOIS ABSOLUMENT PAS OÙ VOUS VOULEZ EN VENIR...

JÉRÔME MALINOIS, LUI... A DÛ RAPIDEMENT COMPRENDRE OÙ VOUS VOULIEZ EN VENIR.
JÉRÔME... QUOI ? JE NE CONNAIS PAS DE...
OH, LUI... VOUS CONNAÎT BIEN. ASSEZ POUR VOUS REMERCIER CHAQUE JOUR. PARTICULIÈREMENT PAR LES TEMPS PLUVIEUX DE CETTE BELLE ARRIÈRE-SAISON.

IL NE S'EST JAMAIS TOTALEMENT REMIS DE SA JAMBE BRISÉE PAR VOS SOINS... À COUPS DE PLANCHE. UNE DÉLICATE ATTENTION, JEAN-BAPTISTE.

ET POURQUOI J'AURAIS SOI-DISANT... BRISÉ LA JAMBE D'UN TYPE QUE JE NE CONNAIS ABSOLUMENT PAS ?
PARCE QUE VOUS EN AVIEZ ASSEZ DE LE VOIR HARCELER CETTE PETITE... VOUS EN AVIEZ ASSEZ D'ENTENDRE PLEURER LA JOLIE DANSEUSE DU DEUXIÈME.

JE PASSERAI SUR LE PIANO NEUF DE DARTINI. MAIS COMME CADET L'A DÉCOUVERT... IL RESSEMBLE BEAUCOUP À CELUI SUR LEQUEL JOUAIT LE PIANISTE DU "PINÇON PINCÉ"... UN ÉTABLISSEMENT QUE VOUS AVEZ FAIT FERMER IL Y A QUELQUES MOIS... POUR... PRATIQUES FRAUDULEUSES.

JE PASSERAI AUSSI SUR JEAN MULLIER... CHEF D'UNE PETITE BANDE LOCALE... MENACÉ PAR VOTRE ARME SOUS SA GORGE IL Y A QUELQUES MOIS. VOUS ATTENDIEZ DE LUI UNE CERTAINE SOMME D'ARGENT.
ÉTRANGEMENT... LE MONTANT EXACT... MANQUANT DANS LA CAISSE D'UNE FLEURISTE DE VOTRE QUARTIER.

IL N'Y A AUCUN RAPPORT AVEC LA MORT DE MA FEMME. AUTREMENT DIT... VOUS N'AVEZ RIEN, BEC. STRICTEMENT RIEN. ET JE NE VOIS TOUJOURS PAS OÙ VOUS VOULEZ EN VENIR...

LÀ... OÙ NOUS N'AVONS JAMAIS CESSÉ D'ÊTRE, JEAN-BAPTISTE. À LA COUR DE VOTRE IMMEUBLE. CAR APRÈS TOUT, CE N'EST PAS SEULEMENT UNE COUR D'IMMEUBLE...

C'EST AUSSI LA VÔTRE. VOTRE PETITE COUR PERSONNELLE DE GENS DÉVOUÉS... ET DE DÉBITEURS EFFRAYÉS.

VOUS N'AVIEZ PAS BESOIN DE LES AVOIR TOUS SOUS VOTRE COUPE. NON... QUELQUES-UNS SUFFISAIENT. LES MESSES BASSES ET LES CONFIDENCES DE CE VOISINAGE SOUDÉ ALLAIENT SE CHARGER DU RESTE. ET À TOUS LES ÉTAGES... TOUT LE MONDE SAVAIT DE QUOI VOUS ÉTIEZ CAPABLE.

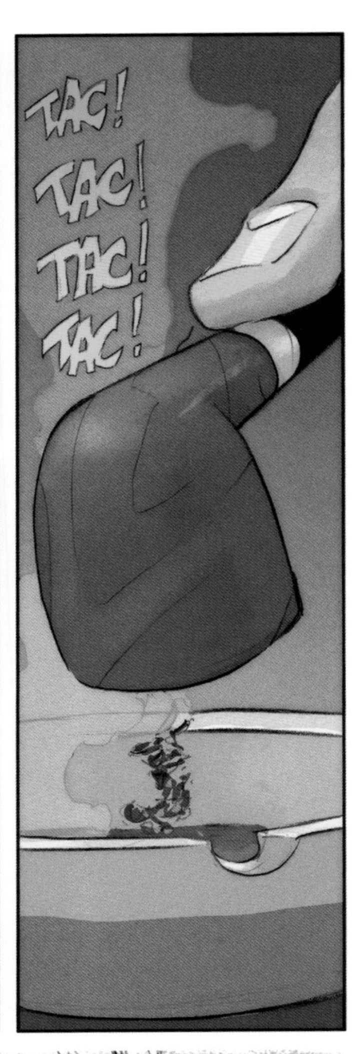
TAC !
TAC !
TAC !
TAC !

JE NE PENSE PAS QUE VOUS AYEZ ENTREPRIS CES... SERVICES... EN PRÉVISION DE CETTE SOIRÉE TRAGIQUE... LA SUITE VA LE DÉMONTRER. VOUS ÊTES SIMPLEMENT, COMME VOTRE FONCTION AUX MOEURS L'INDIQUE...
... UN MONDAIN. UN SÉDUCTEUR... UN OISEAU DE NUIT. UN DANGEREUX ET INFLUENT VOLATILE.

VOILÀ CE QUI M'ÉCHAPPAIT... CE QUE JE NE COMPRENAIS PAS. ET DIEU SAIT QUE JE DÉTESTE NE PAS COMPRENDRE QUELQUE CHOSE. VOILÀ... POURQUOI ILS ONT TOUS MENTI.

VOUS... JEAN-BAPTISTE CLERC... VOUS LES TENIEZ.

VOUS N'AVEZ... RIEN.

LA PREMIÈRE CHOSE QUE J'AI REMARQUÉE EN PASSANT LA PORTE DE VOTRE APPARTEMENT CE SOIR-LÀ... C'EST CE MAGNIFIQUE BOUQUET DE ROSES ROUGES. LE GUÉRIDON RENVERSÉ FACE À LUI... MONTRAIT QUE LA DISPUTE AVAIT COMMENCÉ LÀ.

LE PROGRAMME DE LA MONDAINE INDIQUE BIEN QUE VOUS DEVEZ ÊTRE EN PLANQUE CE SOIR-LÀ. UN PEU PLUS TÔT, VOUS PASSEZ VOUS CHANGER CHEZ VOUS... ET VOUS NE MANQUEZ PAS DE REMARQUER CE NOUVEAU BOUQUET DANS L'ENTRÉE.

VOUS INTERROGEZ VOTRE FEMME SUR CE BOUQUET. CE N'EST PAS LA PREMIÈRE FOIS. VOILÀ TROIS SEMAINES QUE DES FLEURS LUI SONT ENVOYÉES. ELLE VOUS SOUTIENT QU'ELLE LES ACHÈTE ELLE-MÊME POUR DÉCORER VOTRE ENTRÉE. ELLE MENT. VOUS LE SAVEZ. MAIS VOUS DEVEZ PARTIR...

UNE FOIS EN PLANQUE RUE VICTOR-MASSÉ... VOUS RUMINEZ VOTRE COLÈRE. ENCORE ET ENCORE. VOUS DEVEZ SAVOIR. CELA N'A QUE TROP DURÉ. VOTRE JALOUSIE MALADIVE VOUS Y POUSSE. VOUS VOULEZ EN AVOIR LE CŒUR NET.

VOUS DEMANDEZ À VOTRE COLLÈGUE DE VOUS COUVRIR. VOUS LUI PROMETTEZ DE REVENIR AU PLUS VITE... VOUS AVEZ UNE AFFAIRE PERSONNELLE À RÉGLER.

MAIS VOUS NE RENTREZ PAS DIRECTEMENT CHEZ VOUS. VOUS VOUS ARRÊTEZ AU REZ-DE-CHAUSSÉE... DEVANT L'APPARTEMENT DE Mlle JACIN. CELLE-CI VOUS OUVRE LA PORTE. APRÈS TOUT... SI VOTRE FEMME ACHÈTE CES FLEURS ELLE-MÊME... LA FLEURISTE DOIT BIEN LE SAVOIR. VOUS LA QUESTIONNEZ... VOUS LUI FAITES PEUR.

ELLE NE PEUT PAS VOUS CACHER LA VÉRITÉ PLUS LONGTEMPS. ELLE CÈDE. C'EST UNE FEMME QUI ACHÈTE CES FLEURS ET LES LUI FAIT PARVENIR. UNE JOLIE BLONDE HABILLÉE À LA DERNIÈRE MODE.

VOTRE ÉPOUSE A UNE MAÎTRESSE.

VOUS EN ÊTES PERSUADÉ, MAINTENANT. VOUS ÊTES COCU... ET FURIEUX. INCAPABLE DE CONTENIR VOTRE COLÈRE... VOUS REMONTEZ QUATRE À QUATRE CHEZ VOUS. VOUS PÉNÉTREZ DANS VOTRE APPARTEMENT...

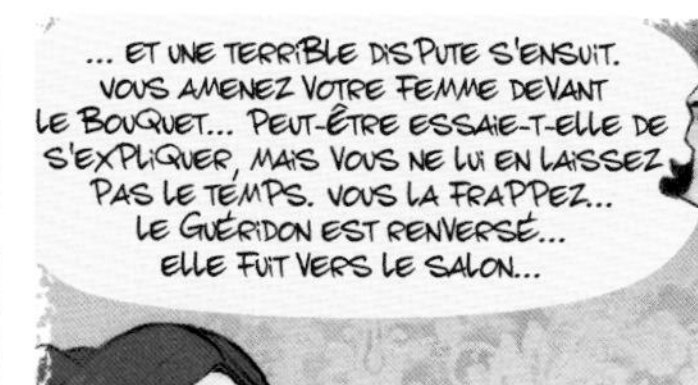

... ET UNE TERRIBLE DISPUTE S'ENSUIT. VOUS AMENEZ VOTRE FEMME DEVANT LE BOUQUET... PEUT-ÊTRE ESSAIE-T-ELLE DE S'EXPLIQUER, MAIS VOUS NE LUI EN LAISSEZ PAS LE TEMPS. VOUS LA FRAPPEZ... LE GUÉRIDON EST RENVERSÉ... ELLE FUIT VERS LE SALON...

ELLE TENTE DE SE DÉFENDRE EN LANÇANT UN VASE... ELLE VOUS MANQUE DE PEU. VOUS LA SAISISSEZ UNE PREMIÈRE FOIS ET LA JETEZ CONTRE UN FAUTEUIL. PUIS, UNE SECONDE FOIS... SANS RETENIR VOTRE FORCE ET VOTRE COLÈRE... ET...

IL EST TROP TARD...
IL N'Y AVAIT RIEN DE PRÉMÉDITÉ DANS VOTRE GESTE. NATHALIE AURAIT PU SURVIVRE À CETTE CHUTE. UNE VIOLENTE DISPUTE QUI TOURNE MAL. UN CRIME PASSIONNEL... HORRIBLE ET BANAL. VOUS VENEZ DE TUER LA FEMME QUE VOUS AIMIEZ...

... SOUS LES YEUX DE VOS VOISINS. LES BRUITS DE LUTTE QUI ONT PRÉCÉDÉ NE LEUR ONT PAS ÉCHAPPÉ. ILS SONT TOUS TÉMOINS DE LA SCÈNE.

PIERRE GUERRY COMPRIS.
VOUS DEVEZ TROUVER UNE SOLUTION RAPIDEMENT. VOUS MENACEZ VOS VOISINS EFFRAYÉS DE LA FENÊTRE BRISÉE DE VOTRE SALON.
LE PREMIER BAVEUX EST UN HOMME MORT, VOUS M'ENTENDEZ ?! VOUS N'AVEZ RIEN VU, RIEN ENTENDU... C'EST BIEN COMPRIS ?! JE VOUS TUERAI TOUS SI VOUS PARLEZ !! JUSQU'AU DERNIER D'ENTRE VOUS !! JUSQU'AU DERNIER !!

QUAND VOUS REMARQUEZ GUERRY PLUS BAS, À SON POSTE, IL VOUS VIENT IMMÉDIATEMENT L'IDÉE DE LUI FAIRE PORTER LE CHAPEAU. LUI AUSSI FAIT PARTIE DE "VOTRE COUR". VOUS SAVEZ QUI IL EST... VOUS CONNAISSEZ SON PASSÉ. VOUS AVEZ GARDÉ LE SILENCE À SON SUJET... JUSTEMENT EN PRÉVISION D'UN MOMENT COMME CELUI-CI. VOUS MAQUILLEZ RAPIDEMENT LE VOL DES BIJOUX... SANS OUBLIER DE VOLER AUSSI LE DOUBLE DES CLÉS CACHÉ DANS LE MEUBLE.

VOUS SAVEZ QUE SOUS LA PRESSION... LES CRIMINELS NE FONT PAS DANS LE DÉTAIL. À QUOI BON FAIRE LE TRI DANS UN BUTIN SUR LE MOMENT... ON RAFLE TOUT ET ON AVISE PLUS TARD. LE VOL DU DOUBLE DES CLÉS AJOUTE UN PEU DE VÉRACITÉ À VOTRE SCÉNARIO. ET VOUS N'AVEZ RIEN À CACHER DANS VOTRE CAVE.

VOUS DESCENDEZ L'ESCALIER QUATRE À QUATRE... VOUS TROUVEZ GUERRY. VOUS LE MENACEZ, L'INTIMIDEZ... ET PEUT-ÊTRE LUI PARLEZ-VOUS AUSSI DE SA FILLE... CETTE FILLE CACHÉE, SOIGNÉE DANS UN SANATORIUM À QUELQUES PAS DE PARIS. SI GUERRY NE JOUE PAS LE JEU... VOUS VOUS EN PRENDREZ À ELLE. ET LÀ... VOUS LUI SOUFFLEZ SON RÔLE. MOT À MOT.

RÉPÈTE APRÈS MOI, NOM DE DIEU... LE MARI EST PARTI EN DÉBUT DE SOIRÉE... JE SAVAIS QU'ELLE ÉTAIT SEULE. JE L'AVAIS VUE PORTER DES BEAUX BIJOUX... SON HOMME AVAIT L'AIR DE LA GÂTER.
JE SUIS MONTÉ. ON PAPOTAIT TOUJOURS UN PEU DANS LA COUR... ELLE ME CROYAIT PAS MÉCHANT. ELLE A OUVERT LA PORTE...

LE COUPABLE PARFAIT ENVOLÉ DANS LA NUIT... VOUS N'AVIEZ PLUS QU'À REJOINDRE VOTRE COLLÈGUE À PIGALLE. VOUS TRAVAILLEZ AVEC LUI DEPUIS PLUS DE DOUZE ANS... VOUS VOUS ÊTES COUVERTS L'UN L'AUTRE PLUS D'UNE FOIS.
ET SANS DOUTE LUI AUSSI... VOUS DOIT-IL UN OU DEUX SERVICES.

CLAP CLAP CLAP...
...

CLAP CLAP CLAP...

CADET, C'EST BIEN ÇA ? APRÈS CET EXPOSÉ DE LITTÉRATURE, JE CROIS QUE TU PEUX M'ENLEVER MES BIJOUX MAINTENANT...

HA, HA... C'EST MERVEILLEUX, COMMISSAIRE.

DU FLAN, TOUT ÇA. VOUS NE POUVEZ PAS PROUVER LA MOINDRE CHOSE... PAS LA MOINDRE. UN AMONCELLEMENT DE SUPPOSITIONS... PLUS FAUSSES LES UNES QUE LES AUTRES... C'EST TOUT CE QUE VOUS AVEZ.

C'EST TOTALEMENT... VRAI.

Je ne peux pas prouver quoi que ce soit... et après tout, les choses ne se sont peut-être pas exactement déroulées ainsi. Je ne sais pas si vous connaissiez l'identité de Guerry... Je ne sais pas si vous aviez enquêté sur lui... si vous connaissiez l'existence de sa fille malade...

Je ne sais même pas si vous êtes revenu vous changer ce soir-là avant de repartir... Je trouvais que ça sonnait bien.

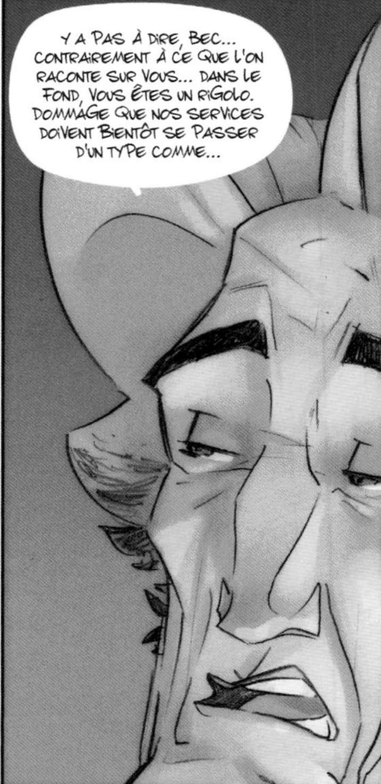
Y a pas à dire, Bec... contrairement à ce que l'on raconte sur vous... dans le fond, vous êtes un rigolo. Dommage que nos services doivent bientôt se passer d'un type comme...

Hé !! Qu'est-ce que vous...

Je n'ai pas besoin de preuves, monsieur Clerc.

J'ai onze témoins du meurtre de votre femme !!

L'UN DE VOUS A-T-IL QUELQUE CHOSE À AJOUTER ?

MAMAN ?

J'AI VU CET HOMME TUER SA FEMME... DE MES YEUX. ET... JE... PEUX EN TÉMOIGNER.

MOI... AUSSI. J'ÉTAIS LÀ.

NOUS AUSSI.

NOUS L'AVONS TOUS VU... COMMISSAIRE.

VOUS ALLEZ TOUS AVOIR DE SÉRIEUX PROBLÈMES SI VOUS NE LA BOUCLEZ PAS. COMPTEZ SUR...

NE L'ÉCOUTEZ PAS. LE PETIT RÈGNE DE M. CLERC S'ARRÊTE ICI. SI LA GUILLOTINE NE SE CHARGE PAS DE LUI... JE VEILLERAI PERSONNELLEMENT À CE QU'UN CACHOT L'ÉLOIGNE À JAMAIS DE VOUS.

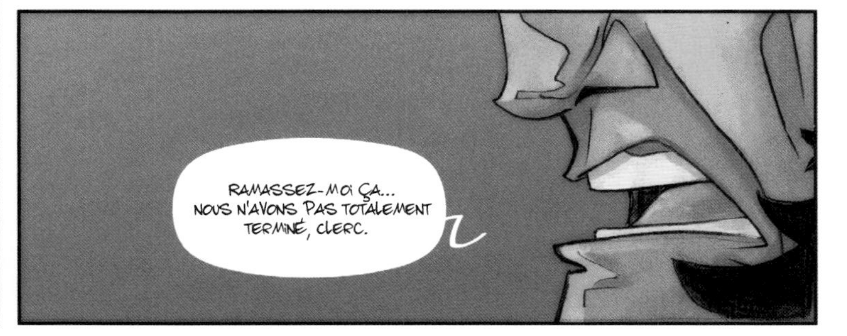
RAMASSEZ-MOI ÇA... NOUS N'AVONS PAS TOTALEMENT TERMINÉ, CLERC.

C'est... C'est un accident... Je ne voulais pas...

Vous n'avez même pas idée à quel point vous pouvez être stupide, clerc.
Pas idée.

J'ai compris que vous aviez quelque chose à cacher dès le lendemain. Vous étiez passé dans la matinée pour soi-disant récupérer des affaires...

Oh, non... Il a dit que c'était pas très grave et qu'il vous demanderait l'autorisation.

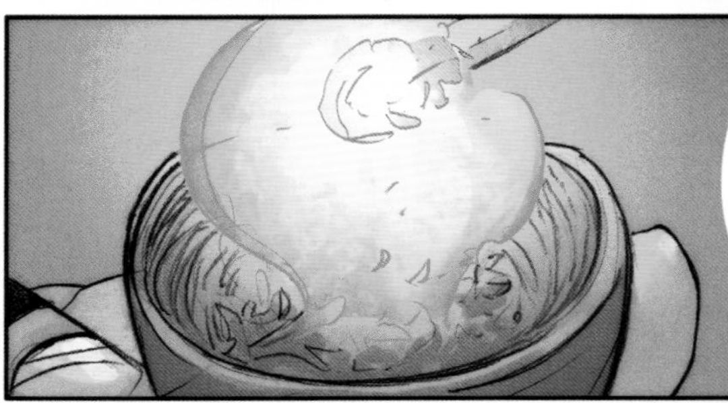
Vous n'êtes jamais venu me trouver par la suite. Vous vouliez vérifier, à l'abri des regards, que vous n'aviez rien oublié dans votre petite mise en scène. Au cas où un indice stupide vous aurait échappé...

C'était... ma femme. Nous n'étions pas séparés... et nous n'en avions pas l'intention. Nous étions toujours... fous amoureux.

Et en effet... un indice vous a échappé. Laissé par votre femme elle-même... bien avant l'heure de sa mort.

Oui... Votre épouse était toujours éperdument amoureuse de vous. C'était aussi une femme trompée. Couverte de bijoux... et paradoxalement délaissée. Elle voulait vous rendre jaloux...
Vous faire comprendre qu'elle aussi pouvait prendre du bon temps ailleurs... avec un autre ou une autre...
Et son plan, malheureusement, n'a que trop bien marché.

À ces fins, elle vous avait laissé un indice supplémentaire... une carte déchirée dans la poubelle de votre cuisine. Elle pensait peut-être que vous iriez fouiller jusque-là... ou que vous tomberiez dessus à un moment ou un autre... Que ça vous obligerait à imaginer des choses...
Mon amour,
La nuit dernière fut inoubliable. Tu ne
quittes plus mes pensées. J'ai hâte de te
retrouver, t'enlever loin

ELLE VOULAIT JUSTE... VOUS FAIRE SOUFFRIR. COMME VOUS LE FAISIEZ DEPUIS SI LONGTEMPS AVEC ELLE.

APPORTE CE CARTON QUE VOUS AVEZ TROUVÉ DANS LA CAVE, TU VEUX...

MAIS LE PRINCIPAL PROBLÈME DE VOTRE FEMME N'ÉTAIT PAS D'IMAGINER VOUS TROMPER... MAIS DE POUVOIR LE FAIRE. ELLE DEVAIT ÊTRE TOTALEMENT INCAPABLE D'ÊTRE AVEC QUELQU'UN D'AUTRE.

JE... NE COMPRENDS PAS...

OH, ÇA NE M'ÉTONNE PAS. JE N'AI MOI-MÊME COMPRIS QUE TRÈS RÉCEMMENT.

COMME JE LE DISAIS TOUT À L'HEURE... CETTE FAMEUSE CLÉ DE LA CAVE N'AVAIT AUCUN INTÉRÊT POUR VOUS. CE N'ÉTAIT QU'UN DÉTAIL DANS LA SAISIE DU BUTIN PAR GUERRY.
MAIS VOTRE ÉPOUSE, ELLE... VOUS L'IGNORIEZ TOTALEMENT... Y CACHAIT QUELQUE CHOSE.

VOTRE FEMME AVAIT-ELLE DÉJÀ ACHETÉ DES FLEURS DANS LA BOUTIQUE DE Mlle JACIN AVANT CES TROIS SEMAINES ?
JE NE VOIS PAS... NON, JE NE SAIS PAS...

BIEN SÛR QUE NON.

JE NE LA CONNAISSAIS PAS PERSONNELLEMENT MAIS LA PAUVRE... FINIR AINSI...

...

VOUS AVEZ TUÉ VOTRE FEMME PARCE QU'ELLE VOUS TROMPAIT... AVEC ELLE-MÊME, CLERC. PARCE QUE... INCAPABLE D'ALLER VOIR AILLEURS... ELLE TENTAIT DÉSESPÉRÉMENT D'ATTIRER VOTRE ATTENTION.

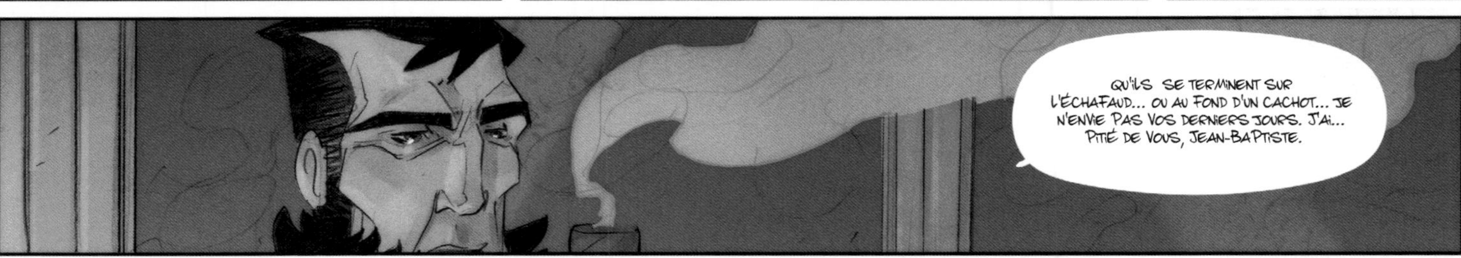
QU'ILS SE TERMINENT SUR L'ÉCHAFAUD... OU AU FOND D'UN CACHOT... JE N'ENVIE PAS VOS DERNIERS JOURS. J'AI... PITIÉ DE VOUS, JEAN-BAPTISTE.

EMMENEZ-LE...

COMMISSAIRE ?

JE... VOULAIS VOUS REMERCIER.
C'EST MOI QUI DOIS VOUS REMERCIER, MADEMOISELLE.
NOUS AURIONS DÛ VOUS DIRE LA VÉRITÉ PLUS TÔT. NOUS AVIONS PEUR...
C'EST TERMINÉ. IL NE PEUT PLUS RIEN CONTRE VOUS.

JE CROIS QUE D'AUTRES PERSONNES VEULENT S'EXCUSER...

C'ÉTAIT LE COMMISSARIAT DU 9e, PATRON... ILS VIENNENT D'ARRÊTER LE COLLÈGUE DE CLERC. IL S'EST RENDU SANS FAIRE D'HISTOIRES.

BIEN. IL DEVRAIT S'EN SORTIR À BON COMPTE... IL IGNORAIT QUE SA COUVERTURE ALLAIT PERMETTRE À CLERC DE TUER SA FEMME. CLERC L'IGNORAIT LUI-MÊME À CE MOMENT-LÀ...

JE CROIS QUE JE NE M'Y FERAI JAMAIS...

S'Y HABITUER... SERAIT UNE BIEN MAUVAISE IDÉE.

LE TROQUET DE PAULETTE EST ENCORE OUVERT À CETTE HEURE ?

VOUS VOULEZ ARROSER ÇA, PATRON ?
LE DIVISIONNAIRE NE SERA PEUT-ÊTRE PAS D'ACCORD... MAIS JE CROIS QU'ON DEVRAIT ARROSER ÇA, PATRON.
ALLEZ, ENFILEZ VOS MANTEAUX... LE DÎNER DE Mme BEC NE POURRA PAS ÊTRE PLUS FROID QU'IL NE L'EST DÉJÀ.

ON A BIEN MÉRITÉ TROIS DEMIS.

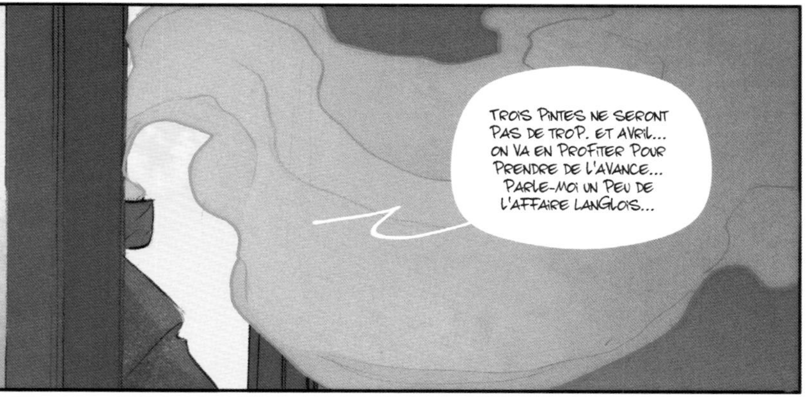
TROIS PINTES NE SERONT PAS DE TROP. ET AVRIL... ON VA EN PROFITER POUR PRENDRE DE L'AVANCE... PARLE-MOI UN PEU DE L'AFFAIRE LANGLOIS...

FIN.